美经络瑜伽

曲影瑜伽

Body channels yoga to for beauty

塑身美体类畅销书作家 曲影 编著

成都时代出版社

The channels Yoga

经络瑜伽

—— 东方医学的精华与瑜伽体位法的完美结合

combining the medicine's distillate and Yoga asanas perfectly

“女为悦己者容”?不合时宜了吧！美，不全是取悦他人，美，最重要的是让自己愉悦舒畅！若觉得自己长得有点抱歉，除了自怨自艾，我们还可以做些什么?有人说，小时候长得不好，可以怪父母，长大后还是不漂亮，就要怪自己了！

没有人能真正留住岁月。然而，我们若能充分掌握自己的状况，知道怎样能使自己感觉更好、看起来更亮丽、随时让身心保持在最佳状态，就是拥有了青春！

知道吗?其实你是天生的美人胚子!只是有时因为自己太忙、太累、太爱玩，一个不注意，某些部位就开始发胖、功能停滞，甚至不舒服，这就是身体在抗议了!

尤其现代女性，工作、生活两头忙，但别忘了和自己聊聊天，特别是和自己的身体说说话；听听她的声音；了解她的状况与需要。瑜伽就是一种与身体的亲密对话，在一招一式的伸展中，感受自己的每一寸肌肤、每一个关节，进而舒缓身心，打通身体的“结”，达到平衡的状态。

简简单单的一个动作，却能轻易化解多年痼疾，由内而外地调理，让我们看起来都神采奕奕，愉悦全写在脸上。

藉由经络瑜伽，开始了解、运动你的身体，同时冥想着“我将有小蛮腰、翘俏臀、修长腿，夏天可以美美地穿上无袖衣服……”，想到哪里动到哪里，假以时日，纵使未能倾国倾城，至少也能自信满满!

你了解经络瑜伽的概念吗? 让我来告诉你：经络瑜伽是东方医学精华与瑜伽

体位法的完美结合。这种内外兼施的和缓运动，通过独特的瑜伽动作来作用于全身所有的经络和经穴，给全身以适当的刺激，以产生自然疗能，收到祛病强身、美容塑身的效果。为什么刺激穴道就能将身体的异常状态恢复为正常呢？经络瑜伽理论认为：通过经络的联系，人体的五脏六腑、五官九窍以及皮肉筋骨等组织成为一个有机的整体。穴道及经络，对脊髓、中枢神经、自律神经，具有一种反射作用，所以，刺激经络穴道就可以影响到内脏，内脏机能被激活能引发人体固有的自然治愈力。我们所编选的瑜伽动作，通过独特的伸展、扭动、弯曲动作，利用身体各部位间的接触、身体与地面的接触，有效地对各个穴位进行刺激，从而调整内分泌、改善淋巴和血液循环、促进皮肤和各个器官的新陈代谢、祛除人体不良和有毒的积物、增强你的免疫力，进而达到塑造人体完美曲线的功效。在做完瑜伽动作后，再对相关重点穴位辅以按摩，更可以达到事半功倍的效果。

一提到“经络”和“经穴”，你是不是马上会联想起“针灸法”？这种用针和灸治病的中国古老医术，现在的确已经风靡全世界。但是，利用针灸探索经穴时，必须具备深厚的医学修养，绝对不是一个外行人所能够办到的。而经络瑜伽，它在功效上和针灸术完全相同，所不同的是，即使是外行人，你都可以办到！因为，你只要知道经穴的所在处，就可用简单方法来按压经穴和经络，给身体适当的刺激，产生自然疗效，就能收到祛病强身的健康效果哦。

经络美人瑜伽，是一种里外兼施的和缓运动。从10岁到100岁，都会有适合你的动作！每次开始我最喜欢的经络美人瑜伽，我都能聆听到我身体的声音，那真是一种确定　　确定控制自己身体的感觉，从而慢慢地抓到自己的心。一路坚持下来，经络美人瑜伽让我自然容光焕发每一天，再加上日常饮食的调养，身心都保持着最好状态。所以，我才迫不及待地要将它介绍给你们。

看到这里，心动了吗?赶快翻开内页、即刻行动，只要再努力一点点，你已经开始变成美人了喔！

目录 CONTENTS

曲影心语 Quying's aspirations **经络瑜伽**

——东方医学的精华与瑜伽体位法的完美结合

第一章 The channels Yoga

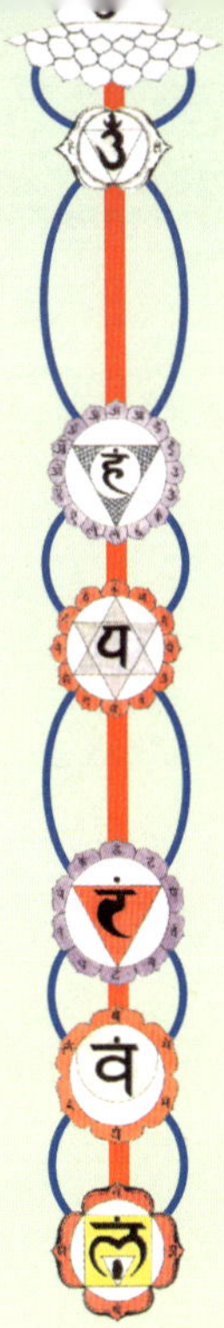

第一章

神奇的纤体美容术——

The new efficacy ways

经络美人瑜伽

The channels yoga

第一节
何谓经络
What is the channels Yoga?

人体之中，有所谓气或血之能量在流通。而其所流经通道即是经络。经络本身的活动功能称为“经气”，其表现为经络的反应和传导。

经络具有内络脏腑、外络于肢体关节、沟通上下表里内外，运行气血、营养全身的功用。

气、血、津液主要是通过经脉遍布全身，发挥它的营养、温泽等作用。经络把全身各脏腑、各部组织联结成不可分割的有机整体。

此外，经络也会成为病邪传播的途径，如外邪侵犯人体，可通过经络由表入里。同样，内脏病变也可通过经络而影响人体其他部位。因而在临床中常常依据经络的功用、循行线路及其与脏腑的关系而进行辨证施治。

人类身体循环系统间，流通着阳电和阴电，电流紊乱则身体倾向酸性反应，且自律神经功能紊乱，百病丛生，由体表反应各器官之病征。穴位刺激即于患部集中阳电电流，以调整身体之健康。

经络与内脏之各部位有密切的关系。因此，若刺激通到某内脏之经络上的穴道，即可刺激该内脏；即只要刺激肌肤，则可有效地传讯到该内脏，而其刺激将可促进内脏之新陈代谢。

身体任何部位生病时，该部位的细胞或组织就失去正常状态，当刺激该部位时，其血液循环就通畅，促使坏死或发炎的组织，恢复其原先的正常状态。

只要在皮肤表层指压，即可治疗全身所有部位之不正常症状，依据“不通则痛，通则不痛”的原理而采用“以痛为病”的原则，治疗肢体疼痛麻木等症。

气滞血液所引起的关节肿痛、活动不便的症状，就运用经络调整的方法，按其经络，以通忧闭之气，压其聚，以散忧结之肿，可达行气活血、滑利关节、消肿止痛的效果。

现代医学已发现，若体内有某种病变时，很容易在皮肤某部位发生变化，即皮肤上某部位会发生电阴降低之现象。而该部位，很巧的是与经络学所说的穴道相符合。

由此可见，穴道及经络以现代医学而言，对脊髓、中枢神经、自律神经可变为一种反射作用，促进内脏机能、循环系统、荷尔蒙分泌状态变化，所以刺激身体表面可影响到内脏，内脏就会因受刺激而活泼其机能，引发人体固有的自然治愈力。

经络是人体内运行气血的通路，包括经脉与络脉两大部分。经是主干，犹如网络。它们内属脏腑，外络支节，沟通内外，贯通上下，

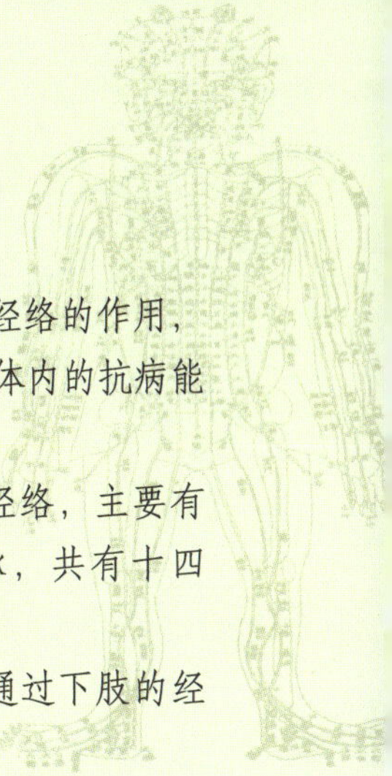

将内部脏腑及外部各组织器官连成一个有机的整体，从而使人体各部分活动保持着相对协调与平衡。

腧穴是人体经络、脏腑之气输注于体表的部位，具有接受刺激的功能。中国古代医学对腧穴的理解，不是把它看成孤立于体表的，而是将它看成与内部组织器官有一定联系的、互相疏通的一些特定部位。

经络沟通内外，运行气血，调节平衡的这种功能，又是通过腧穴的反应来体现的。给腧穴一定的刺激，就可以发挥相应经络的作用，具有调节脏腑、气血的功能，激发体内的抗病能力，从而达到防治疾病的目的。

肢体与头身、内脏相联系的经络，主要有十二条，加上头身的任脉与督脉，共有十四条，叫十四经。

通过上肢的经络叫做手经，通过下肢的经脉叫做足经。

经络遍布全身，是人体气、血、津液运行的通道。

第二节 经络与瑜伽

The channels and Yoga

瑜伽经穴指压是修行者的一种健身法，如同瑜伽体位法，皆以宗教为背景，揉合了哲学思想和肉体的锻炼，以祛除人体不良和有毒的积物。其特征在于能够完全控制自己的肉体，使自己清净，而让生命逐步达至与天地相交融、相契应的极境。

人，对待肉体的态度有三种层次：上者，善护肉体，防其为顽疾恶病所侵犯而无端耗伤，需将这肉身作最精湛的使用与发挥；次者，倘若肉身罹疾，亦有自我疗愈的方式和能力；下者，肉体一时生了病，人只能顺着它而软弱，依赖着外力的医疗，或是他人的看护与慰藉。这其实是对自己的肉身最不负责任的一种态度，甚至可以说是将其糟蹋，因为任由肉体生病脆弱，然后仿佛可以理所当然的伸出一双求援的手，此乃是相当明显地表白了对生命的不敬与轻蔑，而我们一般人大部分都是如此的。

因此，瑜伽的修行，是以自力成就为目标。在灵性上，着重持戒与精进；在肉体上，则着重自愈力，所以，这些健身法，配合着道德精神涵养，可谓是对生命的感恩，对肉体所进行的一种礼拜或祷告，绝不能以江湖医术来藐视之。我们不妨把这些健身法统称为“天然养生法”。

经络瑜伽便是“养生法”之一，它和普通的健身操或运动在维护养生的效果与感受上有着极大的差异。因为经络瑜伽在按压全身所有的经络和经穴的同时，亦涵盖着前述的精神内容与意义。一般的健身操或运动，只是强健肉体的健康和情绪的畅快感。而经络瑜伽，乃是在柔缓里孕育生命。

疏通经络

你是不是觉得自己精力不支、懒散无力、情绪低落？你觉得自己该进补吧——当然不是用杜松子酒来提神噢！这方面的进补还得靠瑜伽。

人们相信，人体内除了有血液、骨骼和肌肉外，还有一种叫做prana或精气神的能量物质。这种能量是通过人的经络系统经过脊柱运送到身体的各个部位的。所以说，保持脊柱的健康和柔韧性十分重要。呼吸练习也有助于确保能量流在人体周身稳定均匀的分布。

能量中枢位于脊柱，并沿经络走向分布，帮助能量向上流动并分布全身。能量中枢共有7个，每个中枢都有一个相关的颜色代码。人们相信，每个中枢都会影响身体或情绪的某一个方面。就像堵塞的水管会给家里带来大麻烦一样，经络不通也会出问题的。

小贴士：平衡你的能量中枢

1. 把意念依次集中在不同的能量中枢上，这种练习可以帮助你平衡自己的能量中枢。当你的意念集中在某一能量中枢时，脑海中要浮现出该能量中枢的颜色大放光彩的图像。

2. 当你觉得自己的能量有点儿失调时，注意查一下，看到底是哪个中枢需要能量补充，然后把意念全部集中于此中枢上。

3. 活动一下受到影响的脊柱部位。如果是下部中枢感觉懒散，就活动你的骨盆。如果是中部的能量中枢(黄色)，就要进行深呼吸练习，一定要把气吸进肺的底部。上部中枢不适的话，请做颈肩练习。如果头顶感觉不适，可在脑海中想象金灿灿的灯照耀在自己头部和肩膀的情景。

然后，两手掌对搓，感觉发热时，用双手捂住两眼,这样做可以关闭能量中枢，不让任何有害能量入侵。

位置：头顶
颜色：白色
影响：脑部的松果体
代表：启迪教化，天赐福佑
不平衡可能导致：心理上的问题

位 置：前额中心
颜 色：紫色
影 响：脑下垂体，神经系统
代 表：直觉，智能
不平衡可能导致：鼻窦和眼睛方面的问题

位 置：咽喉
颜 色：浅蓝色
影 响：甲状腺，咽喉，肺
代 表：更高层次的知识，学识学问
不平衡可能导致：咽喉病，沟通方面的问题

位 置：胸部正中（心）
颜 色：绿色
影 响：心脏，血液循环
代 表：爱意，激情，情绪
不平衡可能导致：免疫系统和心脏方面的问题，感情缺乏

位 置：肚脐（腹腔神经丛）
颜 色：黄色
影 响：消化系统
代 表：意志力，自我定位
不平衡可导致：愤怒或一种沦为牺牲品的感觉

位 置：生殖器部位
颜 色：橘黄色
影 响：生育，发育
代 表：发育，保留
不平衡可导致：情绪或与性有关的问题

位 置：脊柱底（肛门）
颜 色：红色
影 响：排泄过程
代 表：体力，稳定性
不平衡可导致：偏执，贪婪，物欲过强

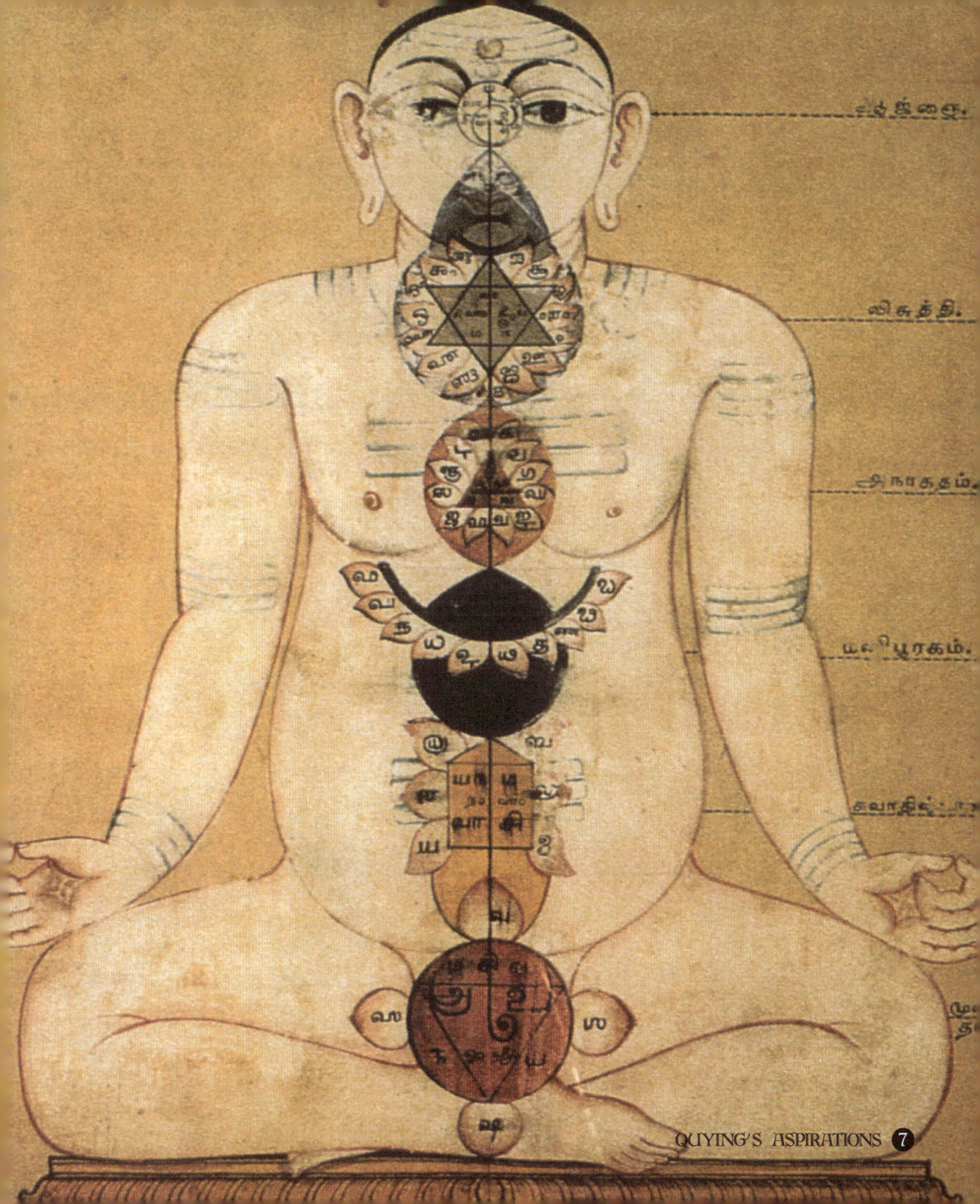
விசுத்தி.
அநாகதம்.

第三节
经穴疗法原理

The elements of the therapeutics of channels

经穴疗法是建立在自然哲理上的瑜伽医学。东方医学重视自然现象。自然界分为阴、阳两类，一切的宇宙现象不属阴就属阳。自然界的一切物质由木、火、土、金、水来表现，谓之“阴阳五行说”，这就是东方医学的自然观。

我们在大自然中受其恩惠而生存，因此，自然界是大宇宙，人体属于自然界中的小自然，自然的法则当然亦行之于人体，保持人与宇宙之行(天人合)，就是正常，就是健康。譬如内为阴，外为阳。“动”属于阳，代表男性，“静”属于阴，代表女性，人体的内脏亦分为阴阳，亦属于木、火、土、金、水五行。

大自然并不每天都是风和日丽的好天气，有时刮风，有时下雨，时寒时热，人体也是一样，有时平安健康，有时生病疼痛，与自然界现象毫无差别，这种想法是东方医学与西方医学不同的地方。

在男女性身体中，营运生命主体的阴阳气与前述自然界木、火、土、金、水相等的脏腑(肝属于木，心属于火，脾属于土，肺属于金，肾属于水)，无二差别甚相符合，但是人体生命活动不止仅只五脏，尚有帮助五脏的重要器官称为腑，脏与腑相辅，才能维持人的生命。肝脏的腑是胆；心脏的腑是小肠；脾脏的腑是胃；肺脏的腑是大肠；肾脏的腑是膀胱。脏属于阴，腑属于阳，阴阳相配成一对。西洋医学俗称五脏五腑，东方医学除此五脏腑外尚有一对的配合，即是心包、三焦腑。心脏是人体保持一定节奏不停活动的重要脏器，为保护心脏应另有一个“袋”的想法，故称为心包。三焦乃三个热源之意，人的一生中，不管外界如何寒热，均可保持一定的体温，必具有调节热源之能，始可保持此不受外界温度的影响，故称为“三焦”。

因此，东方医学称为六脏六腑来相互调和，才可保持健康。脏腑中若一组发生故障，即全体机能失调，疾病就会产生。现代医学大都重于局部疗法，不知不觉中已经不是在治病。例如对疼痛来说，只能采用麻醉和止痛，这是无法治愈疾病的，只能暂时止痛，而且使人对药物产生依赖，长期过量的使用会造成身体机能的不平衡。

瑜伽的医学性比现代医学更具综合性、具体性，并能激发自愈力，使肉体和精神都能达到真正的健康。

经络调整就是刺激穴道，将身体之异常状态恢复为正常，其治疗之基本原理系依据穴道治疗法。

很多疾病以现代医学仍无法治愈，而“经穴疗法”是以科学理论、临床经验和宗教信仰的信心、爱心融合为一体的疗法，为“精神身体医学”，往往有一定效果。

第四节
对美容与塑身起作用的穴道

The acupuncture point to beauty and shaping body

01. 消除脸颊浮肿的穴道

“下关”位于颊骨的正下方，离耳朵三四厘米之处，压时上牙齿会有钝痛感。

“颊车”位在闭口咬紧牙关时，下颚角的肌肉凸起部位之中心。

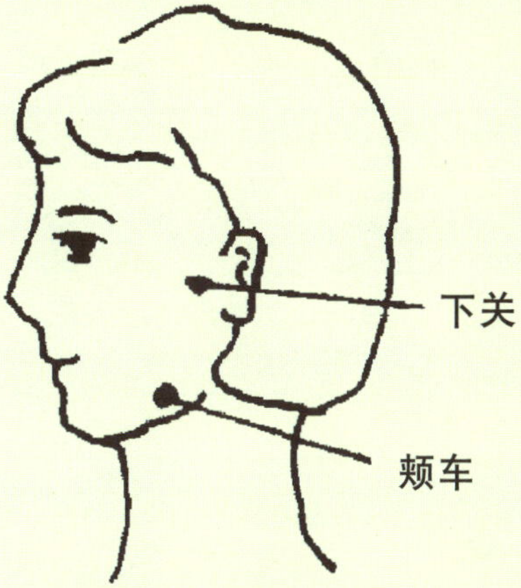

02. 使胸部坚挺的穴道

“膻中”位于两乳头连接线的中央，即胸骨的正上方。

“神封”位于第五肋间隙，膻中穴和乳头连结线的中央偏上之处。

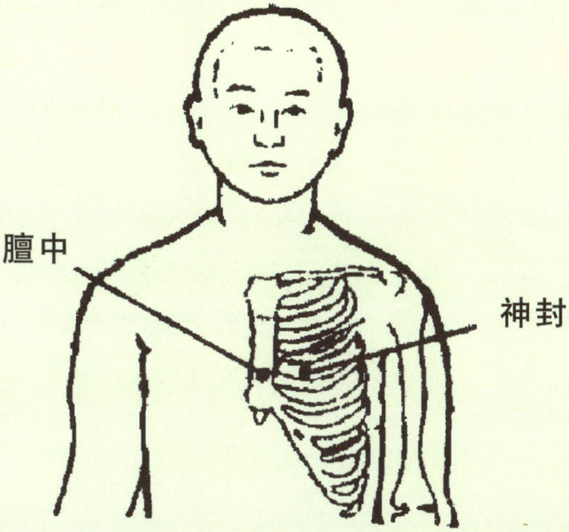

03.美化背部线条的穴道

“肩髃”位在手臂向旁伸直时，肩头粗肌肉部分的凹处。

“肺腧”位在第三胸椎棘突起的下方约三厘米处。

“心腧”位在第五胸椎棘突起的下方约三厘米处。

“膈腧”位在第七胸椎棘突起的下方约三厘米处。

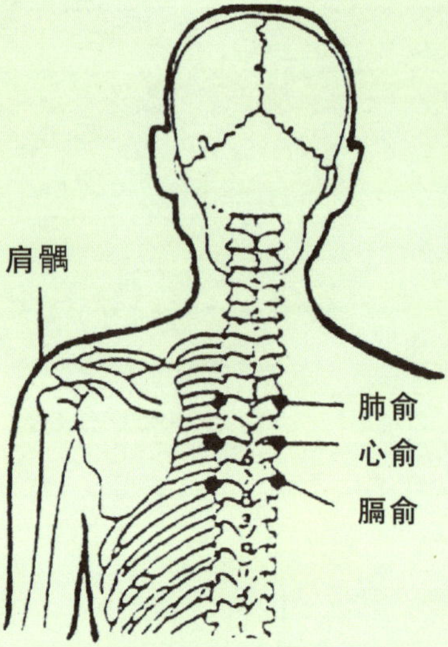

04.使手臂纤细的穴道

“阳池”位于手掌向后弯时，手腕上粗横纹的中央。是散热的穴道。

“支沟”位在离阳池穴三根指幅的上面。

“曲池”位在手肘弯曲时，横纹的前端。

“大陵”位在手腕内侧横纹的中央。

“内关”位于大陵穴上约四厘米处。

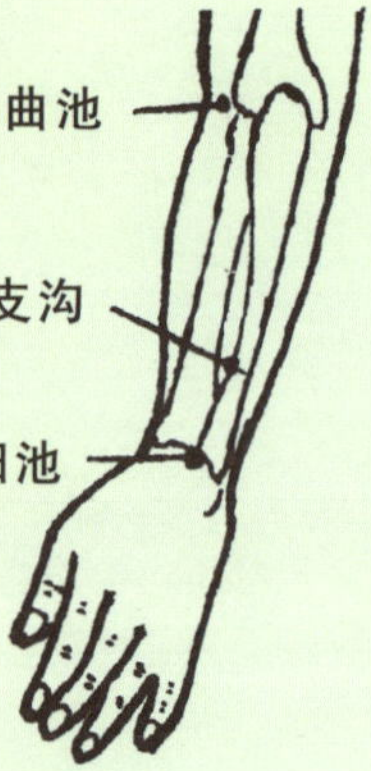

05. 消除腹部赘肉的穴道

“**中脘**”位在肚脐和心窝之连结线的正中央。

“**天枢**”位在肚脐的左右约四厘米之处。

“**关元**”位在腹白线中，脐下约六厘米之处。是产生元气的穴道。

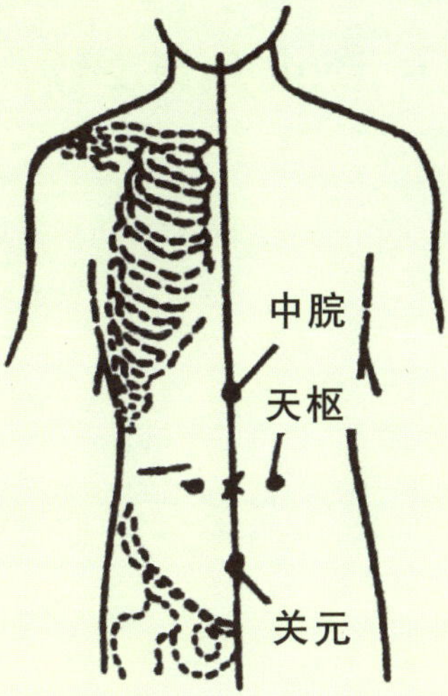

06. 消除臀部松弛，使弧度优美的穴道

“**肾腧**”位在第二腰椎突起下方的外侧。

“**承扶**”位在左右臀部下横纹的中央。

“**关元**”位在耻骨上方约四厘米之处。

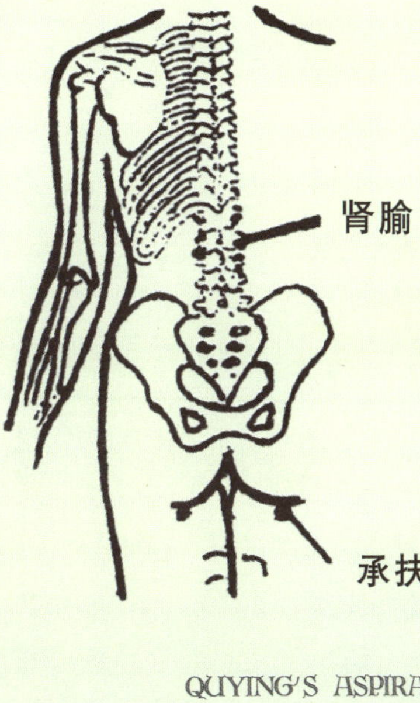

07. 消除颈部粗胖的穴道

“天柱” 位在颈后方凹处之外侧。

“人迎” 位在前喉外侧约三厘米之处。

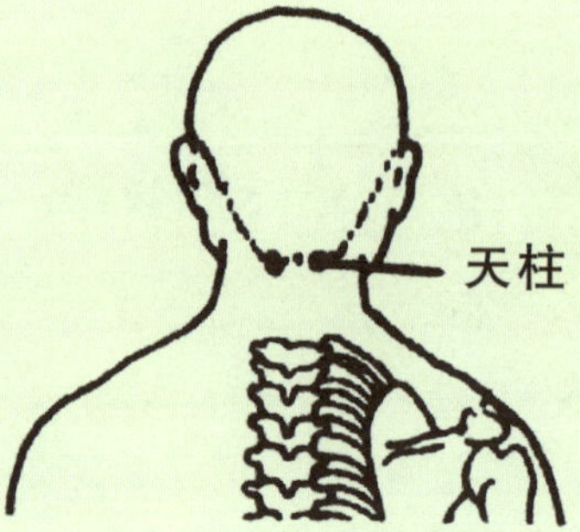

08. 消除肩部脂肪的穴道

“肩井” 位在颈根和肩颈连结线的中央。

“大杼” 位在第一肋间，脊柱外侧约三厘米之处。

“中府” 位在第二肋骨外侧。

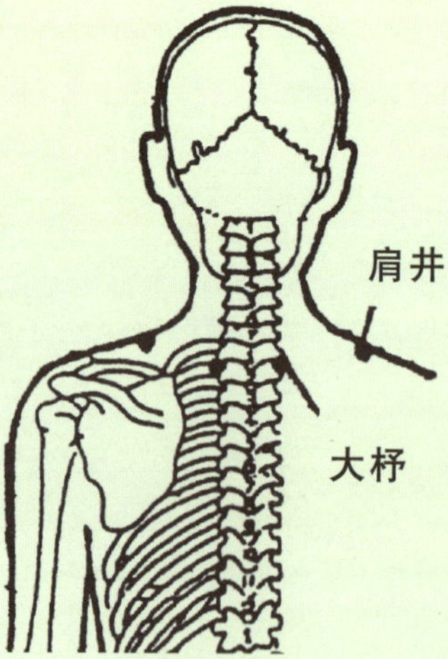

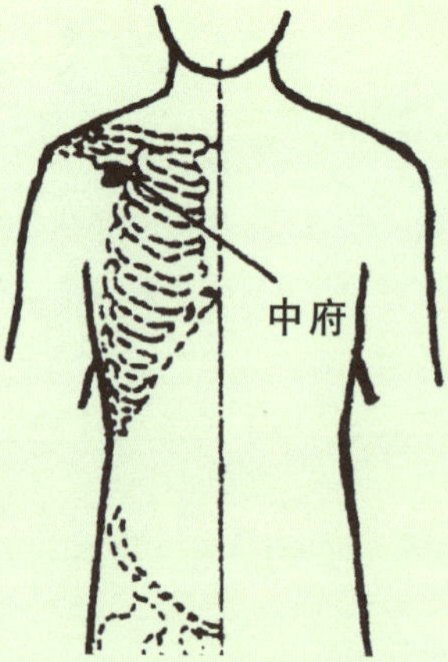

09. 使大腿纤细的穴道

“委中”位在膝盖后方横纹的中央。

“血海”位在膝盖骨内侧上方约五公分之处。

沐浴时边做螺旋状按摩大腿。

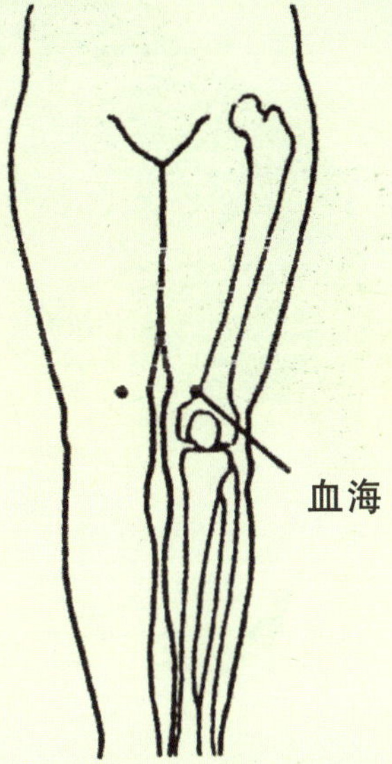

10. 使小腿修长优美的穴道

“承山”位在膝盖后方横纹与脚踝之连结线的中央。

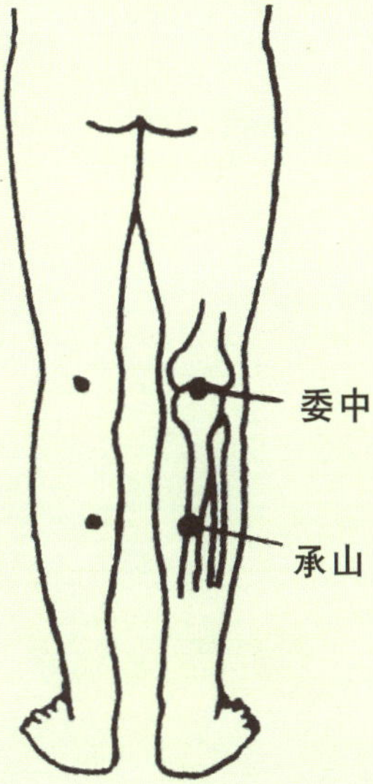

指压以上穴道时
一面缓缓的吐气，
一面用指腹压六秒钟，
吸气放松，重复十次。

第二章

经络瑜伽美人操

Coming from the old Indian mystery Yoga

男人常说：女人笨点才可爱。可如果你真的笨到听不出他的言不由衷，那么，他或早或晚都会找个理由悄悄溜走的。因为，大多数男人，尤其是智慧的男人，都是不太有对牛弹琴的雅兴的。

男人还说：较之你年轻时的容颜，我更爱你此刻布满皱纹的脸。但是，你不是杜拉斯，所以，没人会真地爱你布满皱纹的脸。人老珠黄的辛酸，就在于它的真实，而真实往往是残酷的。

皮肤粗了？胸部平了？衣服全都穿不下了？用尽各种方法、吃遍各种妙方，结果还是令你有所遗憾？利用闲暇时光，赶紧开始做做经络瑜伽美人操吧！又简单又省时的美人操，难道不是你梦寐以求的吗？十二种神奇美容功效，快速改善女性常见症状，千万别再错过！

下面，我要给大家推荐的这套神奇的美人操，将瑜伽动作与中华传统经络学、按摩医术与现代美容理论相融合，通过对全身穴位的刺激，将全身每个部位进行美化，达到塑身的功效。在做完瑜伽动作后，再对相关重点穴位辅以按摩，以达到事半功倍的效果。

第一节
瑜伽关节热身导引操

人体运动器官包括骨骼、关节及肌肉三个部分，也就是说运动是以骨骼为杠杆、关节为枢纽、肌肉的收缩为动力而构成的。运动时主要能活动之关节部位有脚踝、关节、膝关节、髋关节（股骨关节）、腰椎、肩关节、颈椎、手肘、手腕关节等等。

在做任何运动之前，从脚踝关节热身开始，顺序向上做各个关节之屈伸及左右旋转运动，不但可产生骨液，并能保护软骨组织，不易受到运动伤害。

中医理论“五脏有疾，当取十二原穴”，而人体十二原穴均在踝、腕关节附近。

例如：足顺阴肝经“太术穴”在第一、二跖骨结合之前凹陷中；足少阴肾经“太溪穴”在内踝与跟腱之间凹陷中；足少阳胆经“丘墟穴”在外踝前下绿；足阳明胃胃经之“冲阳穴”在足背最高处；足太阳膀胱经“京骨穴”在足外侧第五跖骨粗隆下，赤白肉际……

因此，瑜伽关节热身导引操不仅为热身操，还能通经脉、疏筋壮骨、补益肝肾、健脾营肌。

第一式
脚踝左右旋转

脚踏住涌泉穴，向外旋转9圈，再向内旋转9圈，压住脚背向外旋转3圈，再向内旋转3圈。左右脚交换做。

[注意]妇女在月经期踝关节比较乏力，甚至容易扭伤，因为脚踝区属于肝胆经脉，而肝胆经脉与生殖系统相关联。

第二式
膝关节运动

1.身体前弯，背脊伸直，双手轻扶膝盖上，膝盖并拢伸直，吐气下蹲，吸气起身做3遍。
2.旋转膝关节：身体半蹲，膝盖并拢，左右旋转膝盖9圈后起身放松。

[注意]膝关节功能反映腰肾、膝盖无力，同样反映腰部、腹部、脚部皆无力。此运动可预防风湿关节痛。

01

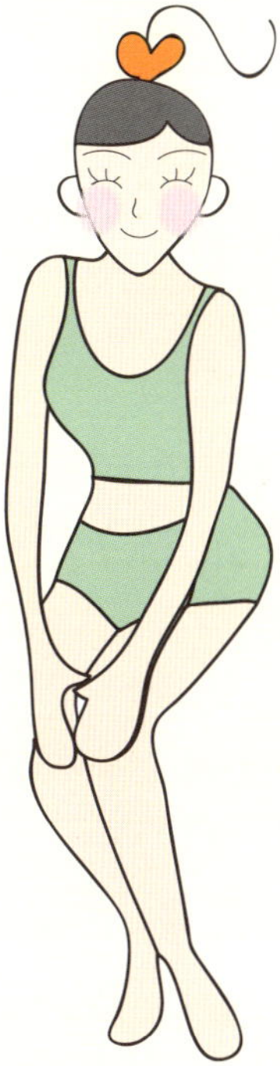

02

第三式 旋转大腿股关节

站立，两手扶膝盖上，身体半蹲式，意识在股关节，向外旋转大腿股关节，后再向内旋转，内外旋转，交换做3遍。

第四式 腰部运动

1.站立，双手挥腰，腰部向左、右摆动9次。

2.腰部向左右旋转，如同做呼拉圈的方式，吸气缩腹、吐气旋转，左右互换，做9次。

[功效] 强化骨盘、膝、踝关节，清除腹部、腰部之赘肉。

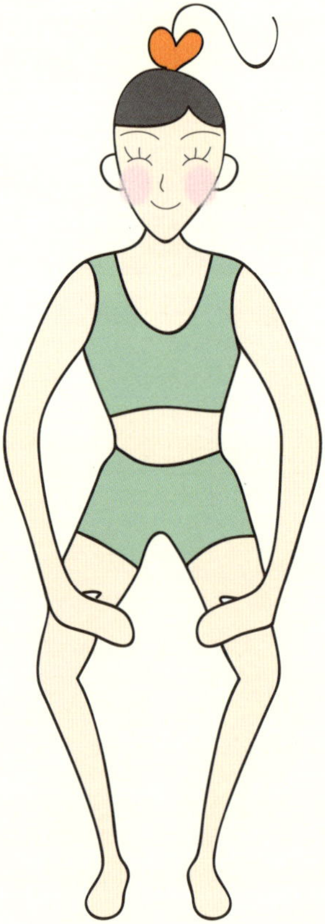

03

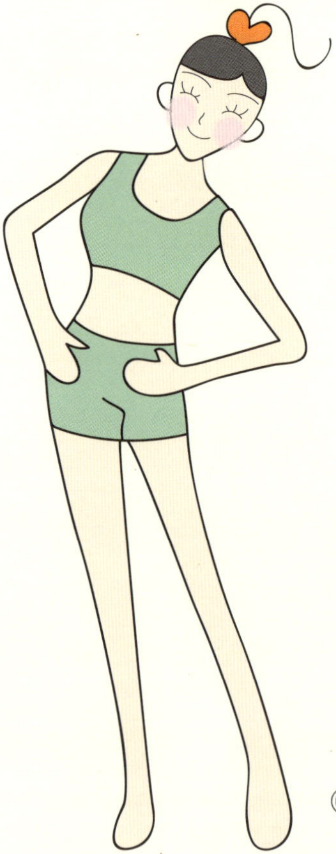

04

第五式
肩关节运动

站立，两肩向外旋转5遍，再向内旋转5遍，或吸气耸肩，再快速放松，或左右肩相互轮转。

[功效]消除肩颈之僵硬，改善呼吸功能，强化脑颈间神经及血液循环。

第六式
旋腰转脊

站立，双脚比肩宽，吸气，双手举起，双手掌交握，反掌朝天，吐气，背脊伸直向前弯。先身体如同画大圆圈，左右来回旋转，往上时吸气，往下时吐气，同时体会伸展脊椎及腰背的感觉；最后吸气还原，吐气，双手慢慢放下，双脚莲步慢慢收回并拢。

[功效]强化坐骨神经及髀关节，柔软腰背、脊椎等。

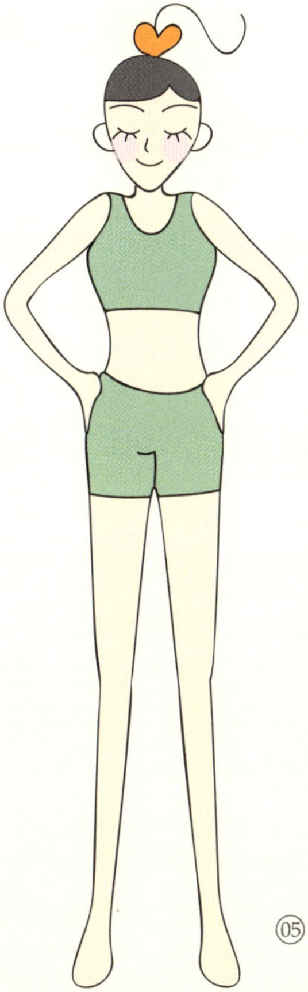

⑤

⑥

第七式
扳手指

左手伸出，掌心朝上，用右手抓住左手中指往下慢慢使力扳，持续约10秒，再依序为食指、无名指、大拇指、小指，接着手腕向内外扭转。同样方式换右手。

[注意] 中指：反映人体的心脏血管循环，即对应心包经脉。如中指偏斜无力，大多数因先天血管循环功能较弱。

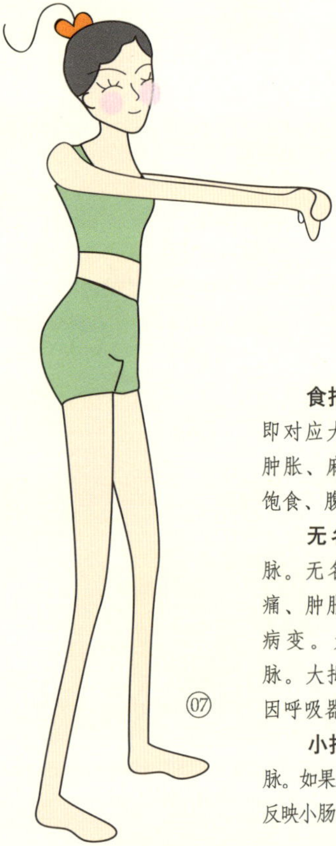

07

食指：反映大肠功能，即对应大肠经脉。如果食指肿胀、麻木，大多因便秘或饱食、腹胀。

无名指：对应三焦经脉。无名指常感无力，或疼痛、肿胀，表示生殖系统有病变。大拇指：对应肺经脉。大拇指僵硬、无力，皆因呼吸器官功能较弱。

小指：对应心和小肠经脉。如果小指麻木或疼痛异常，反映小肠或心脏功能较弱。

第八式
手腕运动

1.双手向前伸出，掌心朝上，摆动手腕20次，再把掌心朝下摆动20次。

2.双手向外旋转手腕20次，再向内旋转20次。

[功效] 强化手三阴、三阳经脉，促进全身血液循环。

08

第九式
颈部运动

1.颈部前俯，吐气伸展后头筋，吸气后仰伸展前颈项，重复做3遍。

2.吸气后吐气，颈部左右侧弯，伸展3遍。

3.吸气后吐气，颈部左右扭转（左、右看）3遍。

4.吸气后吐气，颈部左右向后扭转，后视3遍。

5.吸气后吐气，颈部左右回转3遍。

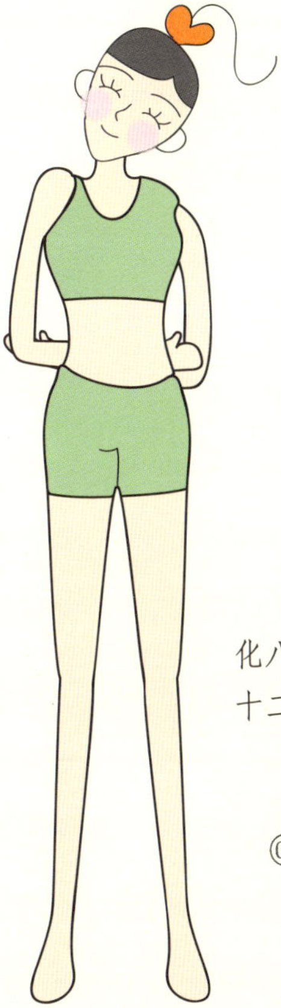

[功效] 可强化八对颈神经、十二对脑神经。

⑨

第十式
脊椎直立伸展运动

站姿，双脚并拢，双手举起交握向上反掌，吸气，脚尖同时踮起，止息8秒，吐气，脚掌心贴地。重复做3～5遍。

[功效] 利通三焦经脉，晨起热身后，可做此式，便利疏泄。

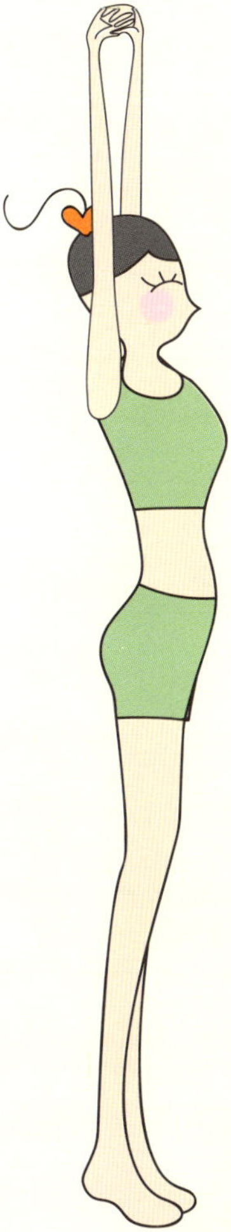

⑩

第十一式 脊椎左右侧弯伸展

站立，双脚并拢，吸气，双手交握反掌，身体尽量往上伸展，吐气，向左右侧弯。交换做3遍。

[**功效**]调整脊椎侧弯，强化肝、胆经脉。

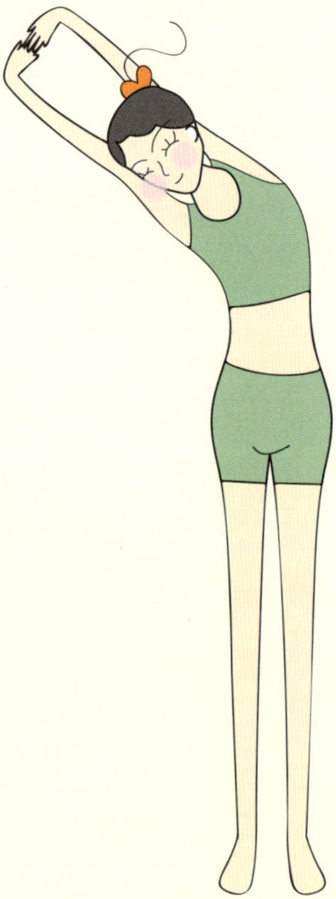

⑪

第十二式 大调息

站姿，双脚并拢，缩腹，臀部夹紧，脚拇指着力，重心在脚心，吸气，双手举起过顶合掌，闭气8秒，吐气后双手仍合掌缓缓放下于胸前，同时气沉丹田闭气8秒，再放松重复。

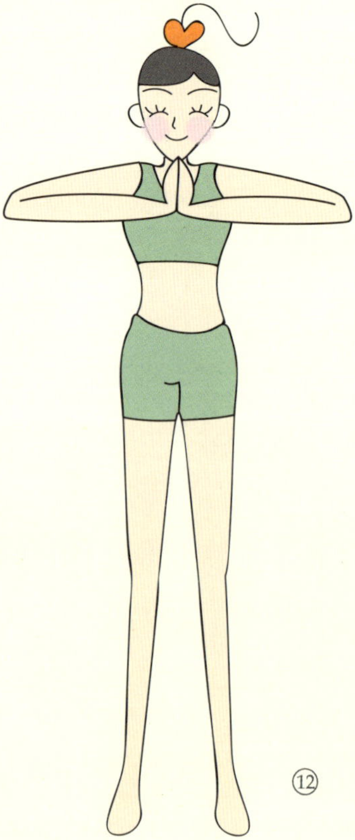

⑫

第二节
经络美人瑜伽体位法

01 丹田呼吸法（躺姿）

Abdominal Breathing

<1>.平躺于床上，双脚放松微微左右打开，双手置于腹部丹田处，做深呼吸。

<2>.胸口放松，吸气，腹部凸出，气下丹田，呼气，腹部凹进。吸、呼来回做数次。

<3>.还原，全身放松，调息。

01

02

曲影温馨提示

练习此式时，意念尽量放于腹部丹田处，吸气时可感到气由鼻进入，经由气管肺部直下丹田处（肚脐下三公分处），腹中充满气而凸起，呼气时，意想着腹中之气由腹部经过胃、肺、气管、鼻子慢慢将气排出，这种深沉的呼吸只要不感到头昏不适，可多练习，没有任何限制。（若为剖腹产者，请于产后15天后才练习此呼吸法。）

美人功效

促进全身血液循环与新陈代谢，热络全身内脏，并可使人更为平静，更易控制心灵，由于这是一种高含氧呼吸方式，还能改善体质，增进健康，提升生命力、预防老化、拥有美好身材。多多加油，效果一定佳。

02 简易拜日式

The simple Sun Salutation

01

- 手肘向外张开
- 两腿并拢

<1>.呼气，双手合掌置于胸前，这种姿势对身心灵合一有很大的帮助。（合掌：双手掌心紧紧平贴在一起，置于胸口，手肘向两侧张开）

02

- 手肘拉直
- 手臂贴在耳朵两侧
- 头轻轻向后仰
- 臀部往前推
- 膝盖伸直

<2>.吸气，整个身体向后仰，手臂上举并贴在耳朵两侧，膝盖伸直。

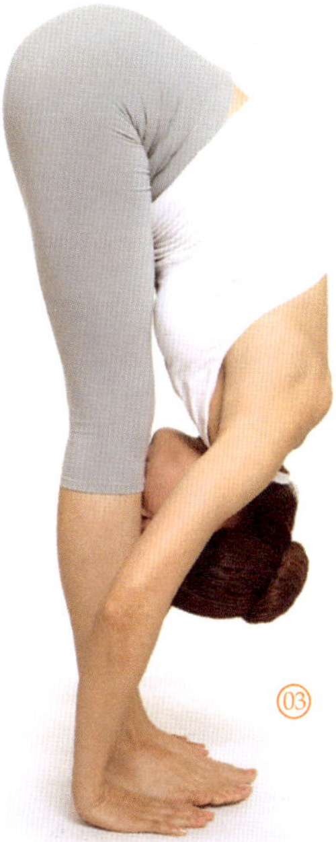

03

04

- 头朝膝盖内缩
- 手指、脚趾位于一直线上
- 双手平贴地面

<3>.吐气，慢慢把腰弯下去，双手碰地之后放在脚旁边。如果很难碰到地，可以让膝盖弯曲。

- 脚背贴地
- 提臀
- 头抬高
- 手仍然放在脚的两边

<4>.双手不动，吸气，右腿尽量往后伸。右膝着地，头尽量向上抬起。

05

- 臀部不要翘起来
- 头不要垂下去
- 身体保持一直线

<5>.憋气，将左腿往后伸，跟右腿一样，脚趾顶着地面。此时身体应该呈一直线，像伏地挺身的姿势。

06

- 额头着地
- 勿让臀部垂下去
- 膝盖着地
- 胸部着地

<6>.吐气，膝盖落在地板上，臀部勿下垂。身体保持不动，让胸部贴地并在手臂中间。额头贴地（初学者若觉得困难，可以让下巴也贴地）。

- 肩膀放松
- 手肘微弯
- 双手平贴地面，手指并拢
- 臀部着地
- 膝盖伸直，两腿平行

<7>.吸气，身体往前滑动，直到臀部贴地。胸部及头往后仰，成眼镜蛇式。手掌不动，手肘微弯，肩膀下垂后仰，让颈部及肩膀完全放松。

07

- 手掌平贴于地
- 头放在手臂中间，眼睛看着脚
- 脚跟向下压（尽量着地）

<8>.吐气，脚趾往内收。手脚不动，慢慢把臀部往上提。脚跟着地，并保持膝盖伸直。头向下垂，置于双手手臂中间，成为倒“V”姿势。

08

- 左膝着地
- 前脚放在双手之间

<9>.吸气，左脚向前跨出，放在手的内侧，手指及脚趾成一直线。右膝着地，头抬高。

09

- 手指与脚趾成一直线
- 头朝膝盖收进来

<10>.双手不动，边吐气边把右脚往前收，两脚靠拢，额头缩向膝盖。此与动作3同。

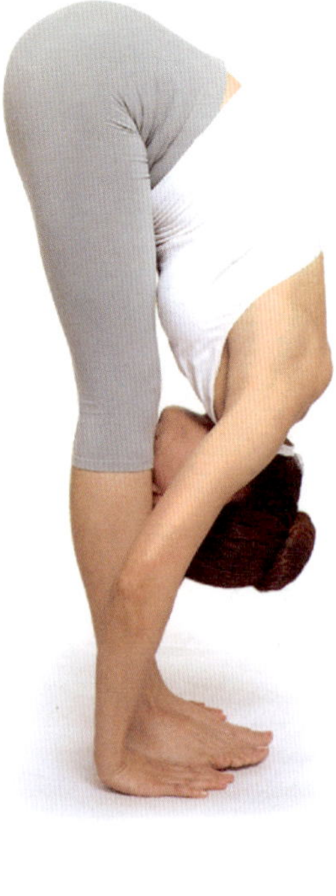

10

⑪

⑫

- 臀部往前推
- 膝盖伸直
- 胸部往前顶出去

<11>.吸气，双手慢慢举过头顶，置于耳朵两侧，上半身向后仰，全身重量集中在脚底。此与动作2同。

- 双手放松置于身体两侧
- 身体保持一直线
- 头和颈保持直立，但放松

<12>.吐气，放下手臂，回复站姿。两脚并拢，双手下垂于两侧。深吸一口气，回到动作1。

曲影温馨提示

拜日式是瑜伽基础柔软术，整套做下来让你从头到脚，是最有效也最完整的全身调适与暖身操，当你要进入任何瑜伽体位或从事任何运动之前都可以先做拜日式，它有良好的暖身、能避免运动伤害。

美人功效

拜日式不仅有暖身效果，还能促进血液循环，调整体质柔软全身，增强体力与抵抗力，并且能预防肥胖，消除疲劳与贫血，调整自律神经，使全身细胞活化，充满精力，精神愉悦，是美人们不可不练习的基本体位与动作。

03 头立三角山式

Head stand in the triangle mountain

01

<1>.跪坐在地上，做深呼吸。

02

<2>.吸气，前弯让头在前方地板着地，双手撑在地上吐气。

<3>.吸气，双膝离开地板，两腿伸直，脚尖踮高，重心放在头顶。

03

04

<4>.双手也伸直放松，停留数秒，做深呼吸。

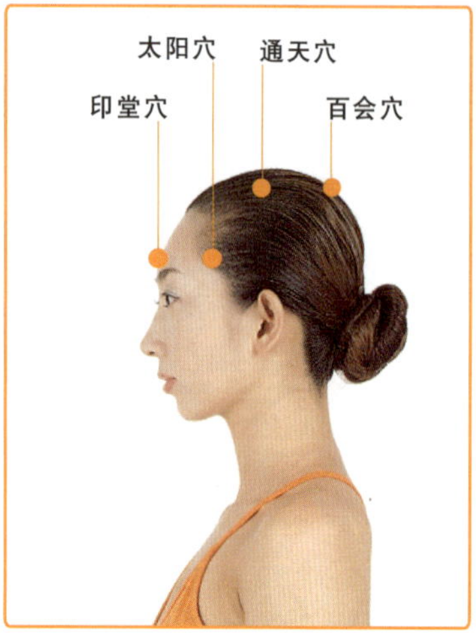

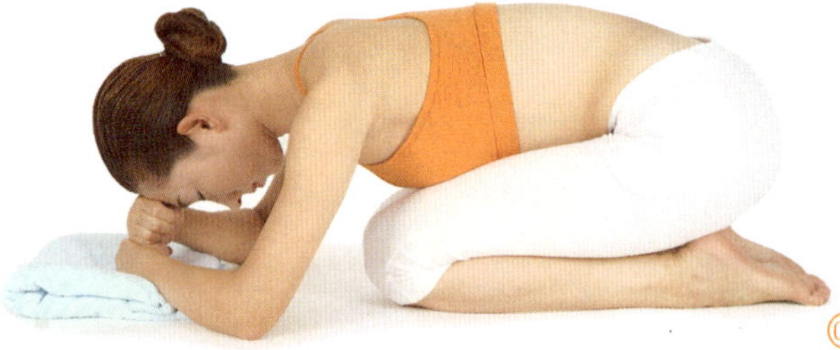

05

<5>.还原，双手握拳，额头靠在拳上，调息。

<6>.坐起回到姿势1，双手放在头顶分别按住太阳、印堂两穴不放，轻轻揉动约10秒。然后手往上移，再按住百会与通天穴不动，深呼吸，放松。

曲影温馨提示

意念放在头部顶地的按摩刺激点上，练习时头部可往前后微微移动、轻压。想象自己的头发乌黑、容光焕发！

美人功效

按摩百会穴与通天穴主要作用是活络头皮，促进血液循环，防止头发脱落，有美发功能；同时因能将血液输送到脑部，也可使脑部清新、防头痛头昏，有美发养颜功能。

04 兔式 Rabbit

头皮照顾得好，头发就美了一大半。从脸部发际正中间向后延伸的一直线上，有许多重要穴道，尤其是“百会”以及其前后的“前顶”。从四周发际往正中央的百会穴按摩，或是早晚用按摩梳，缓慢轻柔地前后左右梳理，都能促进头发健康生长，并使人神清气爽。

01

02

<1>.跪坐，做深呼吸。

<2>.吸气，收下巴，头开始往膝盖方向下移，吐气，双手抓脚跟。

<3>.吸气，臀离脚跟，头尽力缩向膝盖，吐气，身体重心放在头颈脊处，停留数秒，做深呼吸。

03

<4>.缓慢还原，调息。

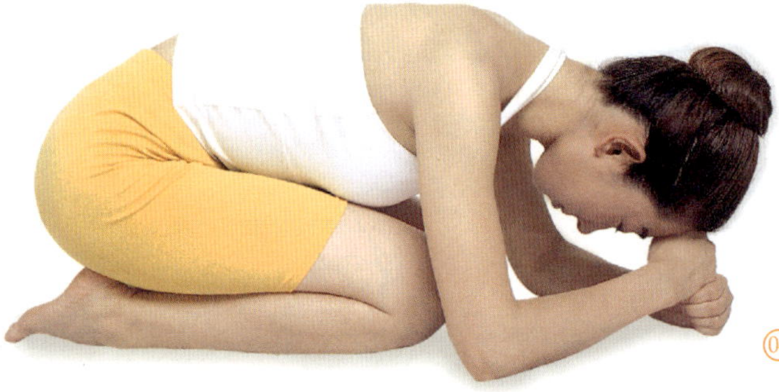

04

曲影温馨提示

将意念集中在头顶刺激点上，去享受那有点酸有点痛的舒畅感，并告诉自己是大美女。

美人功效

此动作强力按摩头部穴位，可防白发、掉发，同时可促进新陈代谢，因此也能防止头皮屑，并预防脑神经衰弱、头昏、失眠等。

05 狮子式 Lion

<1>.以莲花坐姿，双腿盘坐。
<2>.初学者可使用单盘坐姿即可。

01

02

03

<3>.双手放在膝盖前方，吸气抬起臀部，并用双膝支撑。

<4>.以盘腿的方式，腰部往下陷，上半身向前，下腹部贴近地板，调息。

<5>.收下巴、睁大眼睛、吐气、舌头尽量伸出，像只狮子一样。

<6>.吐完气，收舌头，从鼻孔吸气，还原。

曲影温馨提示

初学者若无法盘腿坐，单盘即可，不必勉强；动作完成后，脸部的表情夸大些，效果更显著。

美人功效

可美容脸部，防止脸部肌肉松弛下垂，永葆青春，亦可增强免疫力，预防扁桃腺炎、咽喉炎及感冒。

06. 光泽式 Luster

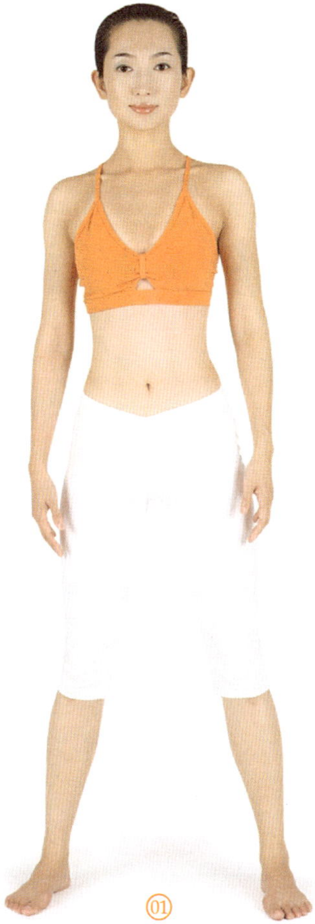

01

02

<1>.站立，双脚打开与肩同宽，做深呼吸。

<2>.吸气，上身慢慢前弯，吐气；不要勉强，尽力就好，弯到最大限度，停留，做深呼吸。

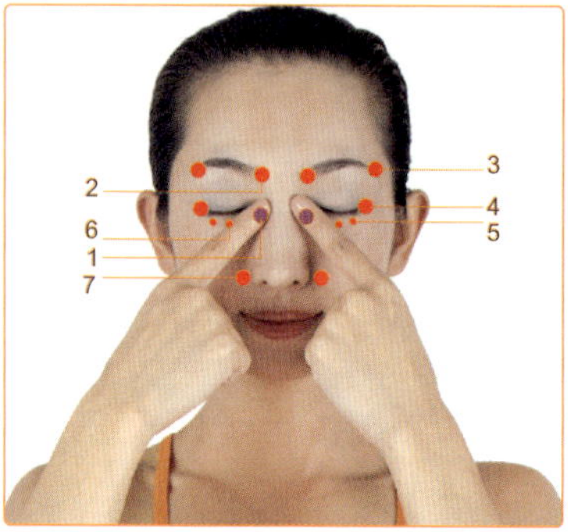

1、睛目穴　提神、明目
2、攒竹穴　消除浮肿、疲劳、头痛
3、丝竹穴　消除脸部浮肿
4、瞳子胶　消除鱼尾纹
5、观胶穴　消除水肿
6、四白穴　改善青春痘、粉刺
7、迎香穴　改善鼻塞、使双眼清明

<3>.可以弯下去的朋友，双手抓住脚跟，停留，做深呼吸。

<4>.缓慢还原，调整呼吸。

<5>.双手按住眼部睛明穴，揉动10秒，手逐渐往下移，按照相同方法分别揉攒竹穴、丝竹穴、瞳子胶、颧胶穴、四白穴、迎香穴，身体逐渐放松。

曲影温馨提示

每天练习3-5回，每回停留5秒钟，动作完成的技巧在于上半身的放松下垂喔！当动作完成时，脸部肌肉及上半身要尽量放轻松，藉着地心引力让身体下垂。初学者若腿筋弹性较差，只要做到步骤2即可，不要勉强。高血压及眼压高者，勿练习此式。

美人功效

按摩睛明穴可以提神、明目，攒竹穴与丝竹穴能消除脸部浮肿，使脸部肌肤粉润光泽，预防老化、有防皱效果，因将血液回流头部，可改善气色，兼具预防头痛、头昏、失眠现象，并强化脑神经。

07 青春式 Young

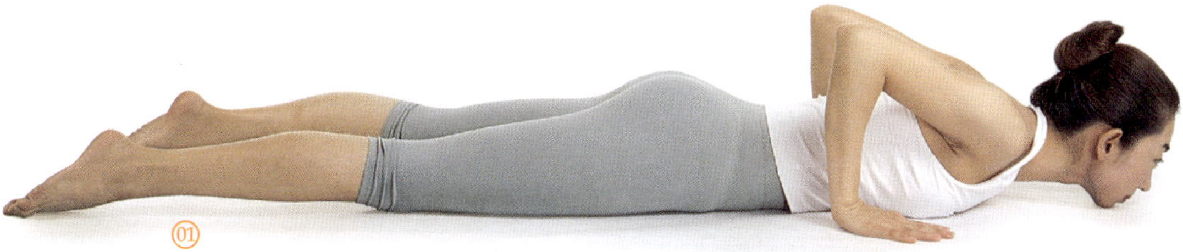

01

<1>.伏卧地上，双脚打开与肩同宽，双手掌置于胸部两旁，做深呼吸。

02

<2>.吸气，上身提起，头后仰，呼气，双膝弯曲，使脚尖与头相触，停留数秒做深呼吸。

<3>.缓慢还原，调息。

曲影温馨提示

初学者可能无法使头后仰与脚尖相触，尽力而为即可，去感觉身体由下巴开始经由颈部、胸部直到腹部有紧实感即达功效，产后妈妈如果在哺乳期要注意胸部，如有不适需停止练习

美人功效

可使脸部、颈部肌肤紧实有弹性，可养颜美容，预防双下巴及颈部肌肉松弛。并可藉刺激颈部来强化气管、预防感冒及气喘咳嗽，同时可以治腰痛与驼背现象。

08 美人鱼式

Beauty fish

<1>.双脚向前伸直，双手置于膝上。

01

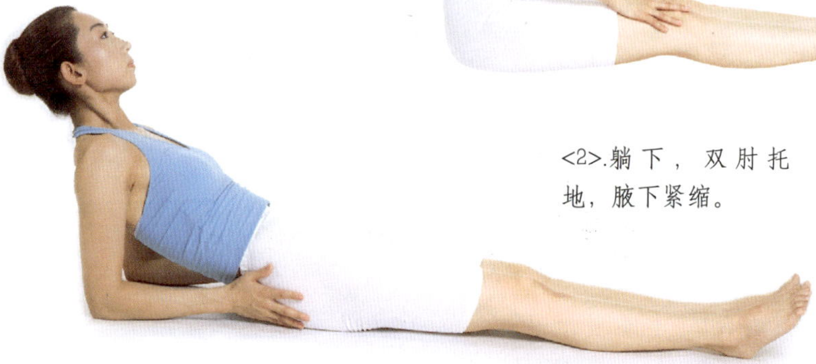

<2>.躺下，双肘托地，腋下紧缩。

02

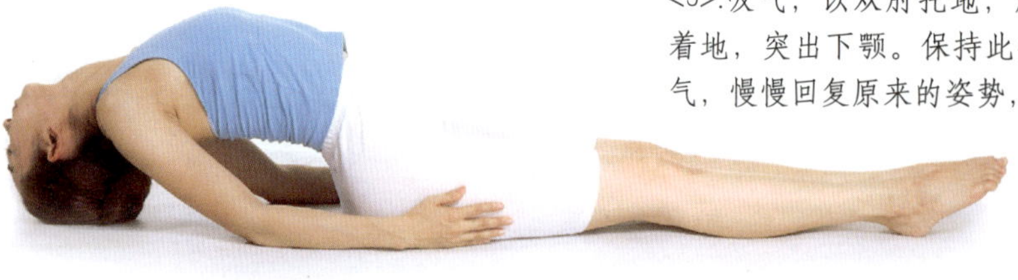

<3>.吸气，以双肘托地，胸部向后仰，使头顶着地，突出下颚。保持此姿势约呼吸五次，吐气，慢慢回复原来的姿势，接着调整呼吸。

03

曲影温馨提示

练习时，意识放在头、肩、背部有感受之处，告诉自己：“我是美人鱼！”渐渐就会像鱼一般灵活，不会有虎背熊腰、上身肥胖的现象。

美人功效

可美化下巴线条，紧实头部，预防双下巴、鸡脖子，还可以防止肩膀酸痛、背部僵硬。

09 犁锄式 Plough and hoe

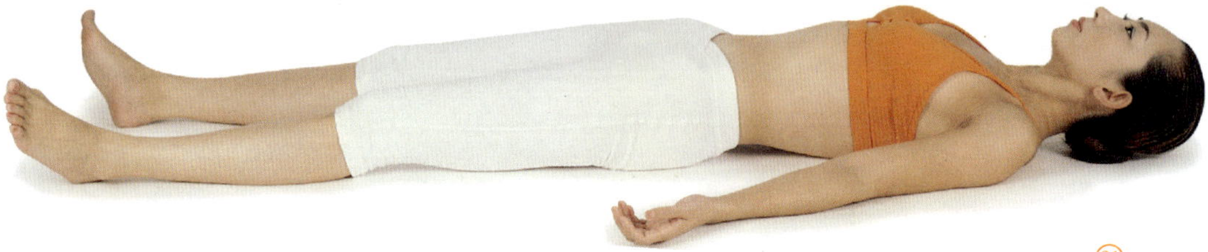

01

<1>.仰躺。屈膝，双手平放在身体两侧。

<2>.一面缓慢的吸气，一面把双腿往上举，膝盖向胸部靠近，绷脚。

02

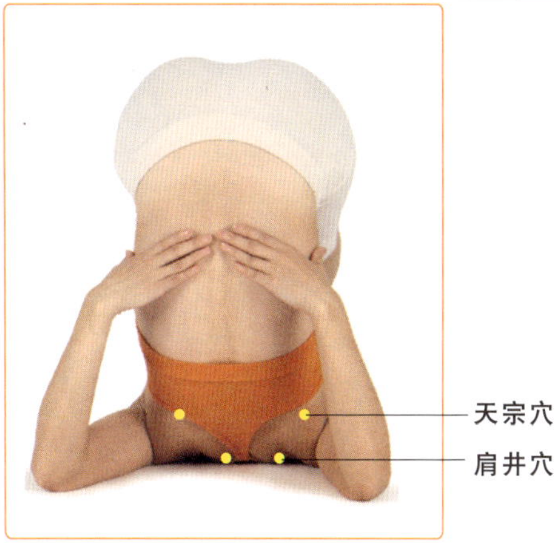

<3>.再缓慢的吐气，更进一步把腿及脊椎柱举高。
<4>.双腿伸直，背脊尽量保持挺直，颈椎尽量伸直，下巴也收紧到前胸，使头部与身体成为直角。手放于肩背处，分别轻按肩井穴，肩外俞、肩中俞、大杼穴各5秒。

<5>.放下腿与身体时，仿佛要把脊椎一节一节地放下似的，缓慢的放下来。

曲影温馨提示

不要过度逞强，否则的话，脊骨很可能会受伤。这个动作对女性有全方位的保养功效，宜多练习。意念可放在彻底伸展的颈肩背部或丹田处。

美人功效

本式可将颈椎伸展开来，而按压肩部穴位，比如肩井穴、肩外俞、肩中俞等穴位，能起到消除肩颈疲劳的作用；亦可促进甲状腺分泌平衡，调整自律神经；并有整脊的功效，防止坐骨神经酸痛；还能促进血液循环，预防贫血。

10 海狗变化式

Fur seal

<1>.坐正，左脚跟靠近会阴处，右腿往右外侧伸直，做深呼吸。

01

<2>.将右脚拉起，置右脚尖于右手肘处。

02

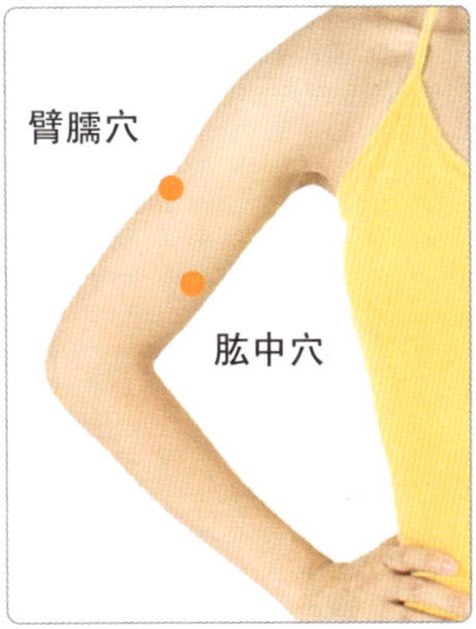

03

<3>.吸气，上身微向左转，左手绕过头于后方与右手互握，脸朝上停留数秒，做深呼吸。

<4>.缓慢还原，调息。

曲影温馨提示

强力集中意识于手臂肌肉上，体验肌肉因牵引而产生的紧实与微酸感，并想象手臂越拉越纤细！夏天快到了，美人们的手臂曲线很重要，加油练吧！

美人功效

通过手臂拉扯，刺激肩头手臂三角肌下方一点的位置上的臂臑穴上臂内侧的肱中穴，可美化手臂线条，消除手臂多余赘肉，紧实手臂肌肉，并柔软肩关节与膝关节，腰部亦可同时受到按摩，且强化肝肾机能。

11 天线式 Fur seal

<1>.跪坐，背部伸直，下颚收缩合掌。

<2>.缓慢吸气，将合掌的双手慢慢举高，双臂夹住耳朵，尽量向上伸展。慢慢吐气，放松双手的力量，手张开与肩同宽。看上方，意识集中于双手指尖。

03

<3>.一面吸气，一面由拇指至小指依序握拳，手下放至肩高度。头向后仰，挺胸呼吸。

04

<4>.双手交叉于背部，身体往前弯下，手举上方，吐气，将额头靠在双膝，腰不可浮高，下颚突出，脊柱伸直，手臂尽量抬高。吸气，挺起上身，然后还原。

曲影温馨提示

请将意识集中于胸口处，想象大自然的元气从指尖吸收到你的身体，沿着气户、库房、屋翳、膺窗、乳根的顺序，由上而下运行，并以大量深呼吸使元气提升，常练习绝对是挺胸美人！

美人功效

可预防乳房下垂，且因强力扩胸，可宽胸舒缓压力，矫正驼背现象，消除疲劳、提气养神。

12 水瓶式 Gradienter

<1>.坐正。

01

两手做叉腰状，拇指放在后背腰部脊椎骨两侧，按压肾腧穴与志室穴(可搭配杜松、天竺葵精油)，可以按摩肾脏、帮助排水、增强精力，往下按压腰眼和大肠俞还可舒解腰酸背痛。

<2>.双膝弯曲，调息。

02

<3>.双手于胸前合掌，吸气、上身转向左侧，用右手肘顶着左大腿，吐气、上身尽量左转，停留做深呼吸。

<4>.缓慢还原，换边再做。

03

曲影温馨提示

当动作完成时，意念停留在被转得紧紧的腰部，并告诉自己，转越紧、腰越细喔！

美人功效

可扭转腰部使其纤细、强化腰脊，并可按摩腹部、防便秘，消除腹、腰赘肉，也因为此动作扭转背脊骨，可按摩全身，增强免疫力。

13 膝立侧弯式 Side bend

<2>.一面吸气，一面把两手向左右伸直，与肩膀同高，手掌向下。

02

<1>.右膝着地跪在地板上，把左腿伸向侧面。

01

<3>.一面吐气，一面把上半身向右倾斜，右手放在膝盖上面。

（注意：这时，必须改变左手的手掌方向，以伸高手的姿势，把身体向右倾斜。只要放松手臂，以及颈部，即可感觉到非常舒畅。脸孔朝着上面。缓慢的运动横膈膜，呼吸四次。一面吸气，一面还回原来的姿势，再换另外一条腿，缓慢的做相同的动作。肝脏是具有再生能力的脏器，不要灰心，要有恒心的做下去。）

03

曲影温馨提示

练习时要意志坚定地告诉自己：我的腰越来越美了！有感觉了吗？连手臂也变修长了喔！

美人功效

可调整不正的脊椎，美化身体线条，纤细腰部、手臂，防肩关节僵硬，改善血液循环不良的现象，是全身性的减肥动作。常练习还可刺激肾腺荷尔蒙分泌正常，美化皮肤，轻而易举让自己变成瑜伽美人！

14 滑翔式 Glide

<1>.坐正，腰背挺直，做深呼吸。

01

<2>.吸气，双膝弯曲，双手左右打开，吐气。

02

肚脐周围有许多穴道可以帮助弭平小腹。在肚脐上下的中线，多有可去除水分、虚胀、水肿的穴道；而肚脐左右两条经脉上的穴道，则有促进腹部新陈代谢、帮助囤积的废物排出、刺激肠胃蠕动、帮助排便以及削减小腹多余油脂的功能。

按压时躺平或坐正，每个穴道按压约2-3个呼吸的时间后，就换下一个穴道，逐一依次循回按压。

<3>.吸气，双脚离地，抬起小腿，让膝盖、小腿、脚掌与地成平行一直线。吐气，腰背挺直，停留，做深呼吸。

<4>.缓慢还原，调息。

03

曲影温馨提示

动作完成后，意念放在腹部，尽自己的体力施力，并勉强自己多停留几秒，让腹部、腰部多用点力，对燃烧腹部脂肪更有效果。

美人功效

增加腰力、消除腹部赘肉，同时训练耐力与平衡感，增强体力、改善体质，消除腰酸背痛，还能预防坐骨神经痛与痔疮。

15 骆驼式 Camel

01

<1>. 双膝打开与肩同宽，跪立，做深呼吸。

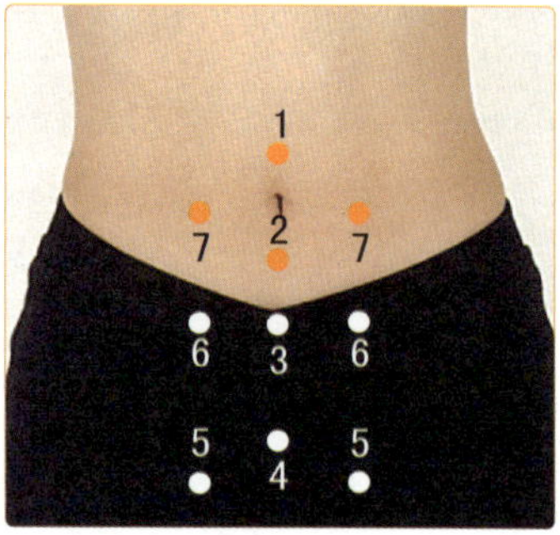

1、水分（肚脐上一寸）
2、阴交（肚脐下一寸）
3、气海（肚脐下一寸半）
4、关元（肚脐下三寸）
5、水道（大巨下三寸）
6、大巨（天枢下两寸）
7、天枢（肚脐左右两寸）

<2>.吸气，上身后仰，双手同时压住后脚跟，呼气，腰部腹部尽力向前推出，停留数秒，做深呼吸。

<3>.还原姿势< 1 >，双手叉腰，按摩腹部穴道，依照水分、阴交、气海、关元、水道、大巨、天枢的顺序，每个穴道按压约2－3个呼吸的时间后，就按下一穴道。

02

曲影温馨提示

初学者若无法标准地抓到后脚跟，不必灰心，可将脚尖垫起，双手再抓脚跟，亦可达到同样功效。

美人功效

可消除腹部赘肉、矫正驼背现象、消除腰酸背痛，美化手臂及身体线条，防下半身肥胖；亦可刺激肠胃、强化消化系统，并解除胸口郁闷、促进心肺功能。

16 弓式 Bow Motion

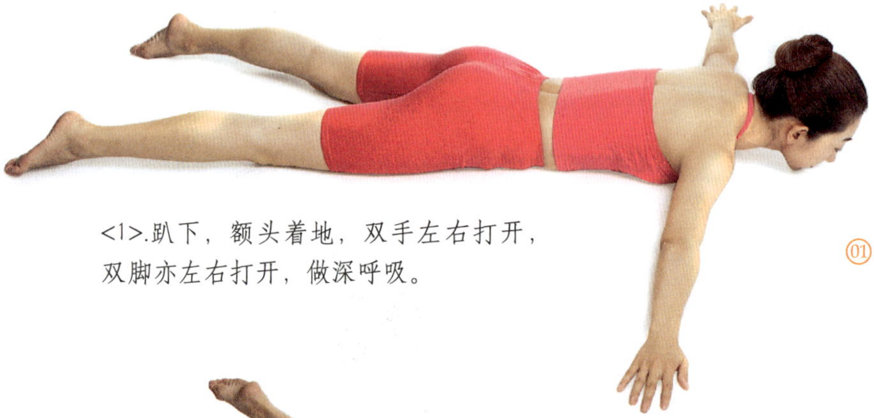

<1>.趴下，额头着地，双手左右打开，双脚亦左右打开，做深呼吸。

01

<2>.吸气，头、手、脚同时离地，呼气，尽力向上举高，且停留数秒，做深呼吸。
<3>.缓慢还原，调息。

02

曲影温馨提示

练习此式，当手脚向上举高时，手肘及膝盖须保持伸直，在停留做深呼吸时应同时将肛门紧缩，手脚用力向上，让全身肌肉都紧张，再还原放松，有一紧一松之感觉。

美人功效

这是一个强力塑臀的动作，可防止臀部下垂、美化臀形，并可刺激脊椎和中枢神经，矫正背脊不正、促进内分泌平衡，并能按摩腹部、消除胀气，有益肠胃的蠕动，亦可防女性月经失调。

17 蝗虫式 Locust

<1>.俯卧。两手向下伸直，两脚并拢伸直，下颚贴地。先做深呼吸。

01

<2>.一面吸气，一面举高一条腿，停留并深呼吸数十秒。换边练习。

02

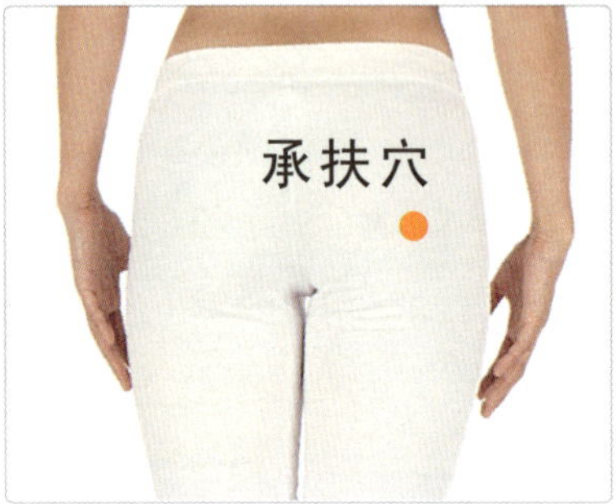

<3>.还原放下脚，收小腹，臀肌夹紧，用中指按住臀部最下方的承扶穴，并将臀部往上提，每次停留约3－5秒。

<4>.缓缓放下,调息。

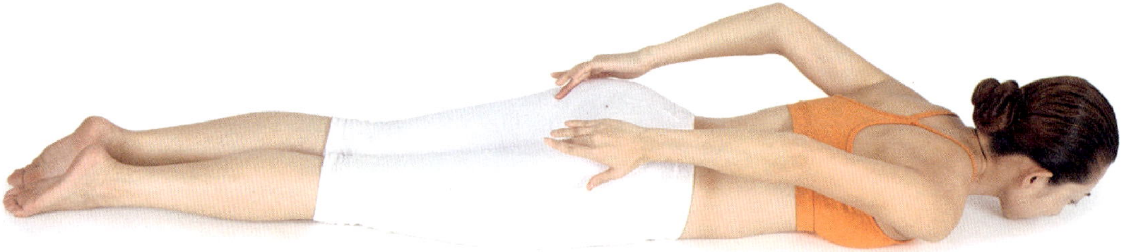

03

曲影温馨提示

不满意你的臀部吗？请将意识放在臀肌，努力加油、火力集中，练出又圆又翘的小美臀！

美人功效

塑臀、提臀效果佳，亦可调整肝、肾、胰等内脏功能，还能健肺，预防腰痛、慢性胃肠病以及便秘；并可强化消化与吸收功能，此外因刺激大腿，也可顺便紧缩大腿肌肉。

18 身印式 Stretch your back

01

<1>.双脚向前伸直坐下。背部挺直，手置于大腿上，吐气，将上半身向前倾，并以食指勾住脚拇趾。

02

<2>.充分吸气至胸部后，吐气，将上半身压往脚趾的方向，由腹、胸、下颚、额头依序向前倾。此时要避免膝盖弯曲。

<3>.还原，调息。

曲影温馨提示

意识放在有紧实感的腿筋上。常练这个动作，你会发觉腿越来越修长，而且更美、更匀称了！一定要告诉自己：“我是长腿美人！”

美人功效

可瘦大腿、美化腿形，促进血液循环，预防坐骨神经痛，预防腿部抽筋，改善下半身寒冷症。

19 海虾式 Sea shrimp

<1>.站立，做深呼吸。

01

<2>.左脚向前方跨出一大步，双手于背后合掌。

02

<3>.吸气，上身慢慢后仰，吐气，停留，做深呼吸。

03

<4>.吸气，上身缓慢回正，再配合吐气，身体前弯尽量贴近腿部，停留数秒做深呼吸。

<5>.还原，换脚再做一回。

曲影温馨提示

在练习过程中，要注意保持顺畅的呼吸；此动作有前弯又有后仰，宜缓慢为之，才不致造成头昏脑涨的现象；同时双腿重心需稳定，才能做上半身的后仰与前弯。

美人功效

借由双膝伸直，可直接牵引腿筋，有瘦大腿、美化腿部曲线的功效；此动作属全身性的动作，可畅通全身血气，打通任督二脉，还可利用扩胸来解除胸口郁闷。

20 猫伸懒腰式

The lazy cat stretch

01

<1>.吸气，身体趴跪在运动垫上，双手手心向下、手肘与左膝盖弯曲九十度，贴在运动垫上。右腿伸直，脚尖点在地上。

02

<2>.吸气，将伸直的右腿由地面往上抬高。注意不要有脊椎往下凹陷、肚子往前凸的现象产生。脚尖由地面抬高为一次标准动作，请做8次。

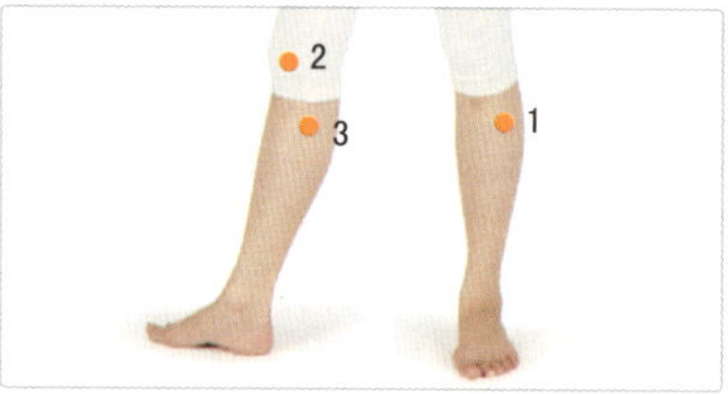

1. 阳陵泉：舒解肌肉、治疗膝关节炎。
2. 血海穴：可以帮助气血循环。
3. 膝关：可消除膝关节肿胀。

曲影温馨提示

清楚地告诉自己："我要有猫一般的灵活以及婀娜多姿的体态！"

美人功效

膝部的阳陵泉、血海穴、膝关对促进胃部、血液循环舒适畅通和保养膝盖有直接的作用。常练习此式可强化膝关节，美化膝盖与腿部；促进全身血液循环，可调整体质、增加体力，并防止臀部下垂或下半身肥胖，也可防寒冷症。

21 踩单车式

Step on the bike

<1>.平躺在地上。

01

<2>.吸气，双脚离地朝向天花板，吐气。

02

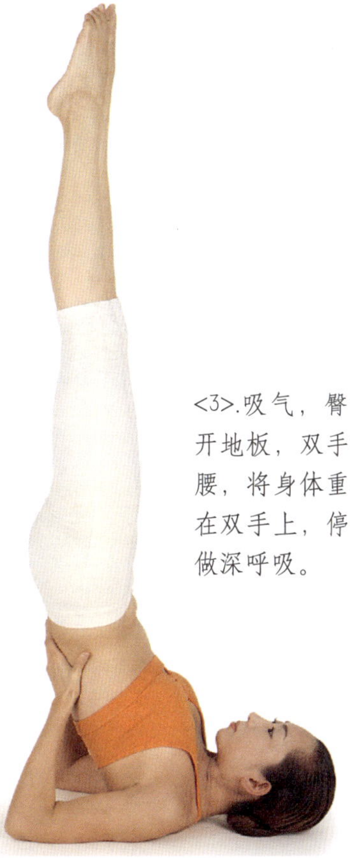

<3>.吸气，臀部离开地板，双手撑住腰，将身体重心放在双手上，停留，做深呼吸。

03

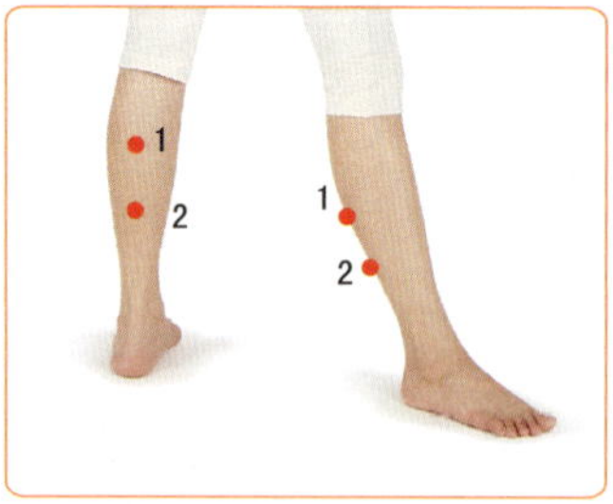

小腿后侧的承筋穴与承山穴，都有疏通循环的效果，经常按压不但可以消除腿部疲劳，也能赶走“萝卜腿”喔！

1. 承筋穴：位于小腿后方最肥胖的一点。
2. 承山穴：位在小腿肚与阿肌里腱交会处。

<4>.配合有节奏的呼吸，双脚以踩脚踏车的方式上下踩动。
<5>.缓慢还原，调息。

04

曲影温馨提示

意念放在双腿上，踩动时要想象自己如同在单车上踩动踏板使车前进一般，加油便可练出美美的腿喔！

美人功效

可美化腿部线条，消除大腿赘肉，改善小腿曲线，预防内脏下垂，促进血液循环，永保青春。

22 牵引腿肚式

Draught your leg

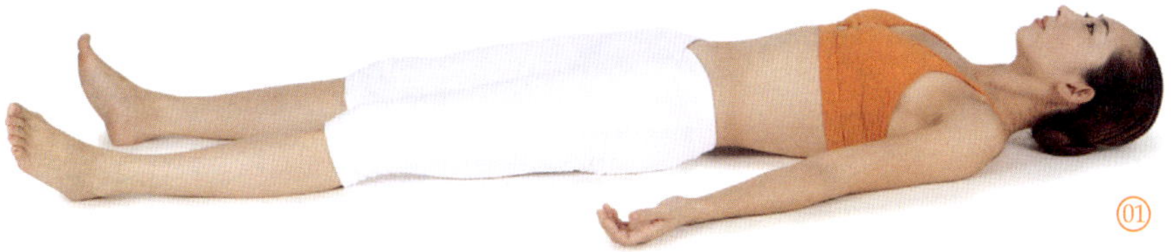

01

<1>.平躺于地，放松，
做深呼吸。

<2>.吸气，双脚举高
90度，膝盖伸直。

02

曲影温馨提示

每天练习3到5回，每回10秒钟以上。若体力够，应多多练习，这个动作是萝卜腿的克星，常常做，小腿想肥都很难喔！※此动作强力伸展小腿肚，因此脚尖伸直与勾回的力量是重点，要一直反复操练到小腿有酸痛感才会有效。

美人功效

可消除腿部胀气，预防腿部静脉栓塞，也可美化小腿曲线，促进下半身血液循环，且预防腿肚抽筋。

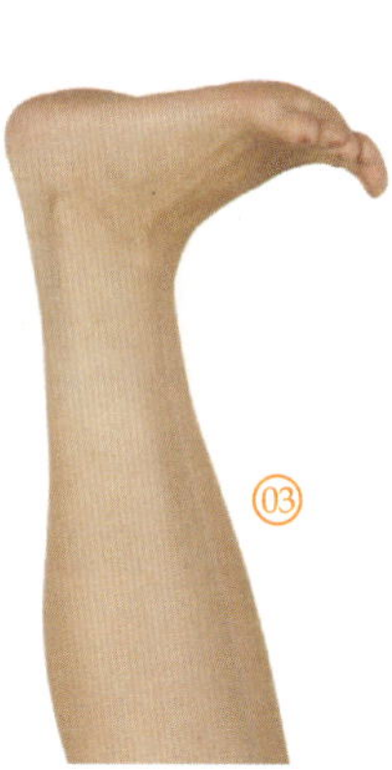

<3>.吐气，足尖勾回，停留5秒。

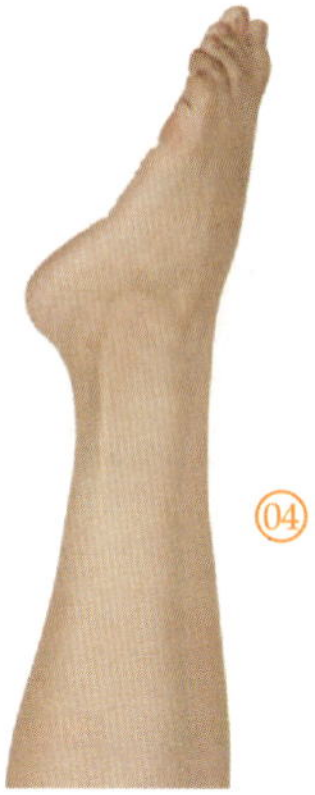

<4>.吸气，双脚脚尖伸直，吐气，停留5秒。

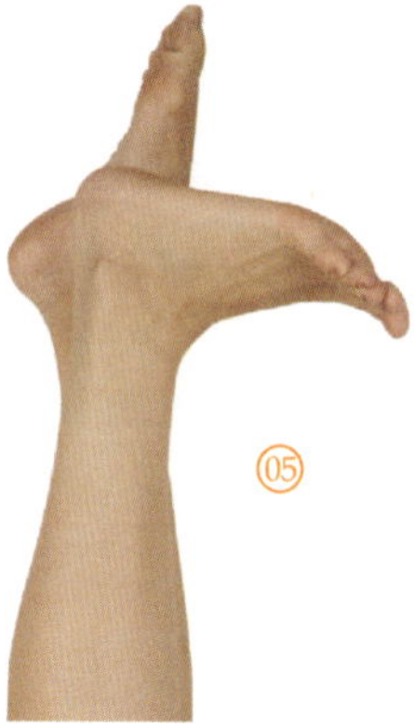

<5>.脚板尖交替左右勾回与伸直，来回做5秒钟。

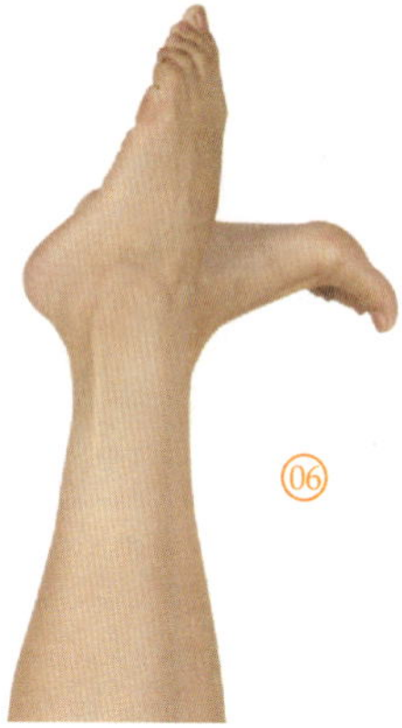

<6>.还原，放松小脚，调息。

Draught your leg

多按压脚踝周围的几个穴道，不但可消除疲劳肿胀，还能活络足部血液循环，让足部也有漂亮的曲线喔！

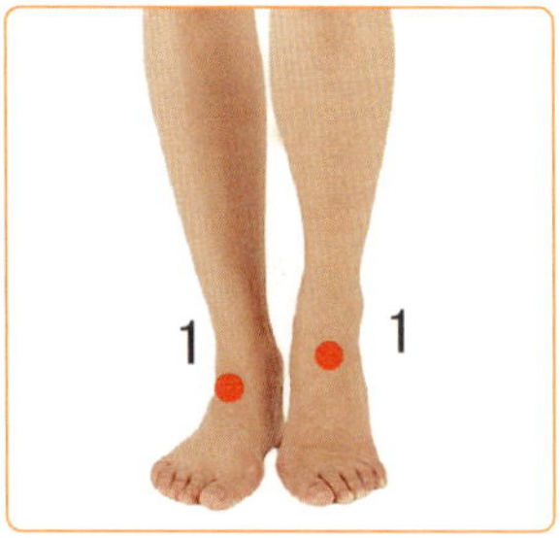

1. 解溪穴：位于脚腕正前面、两条筋中间的凹处。按压这里，可使脚踝变瘦。

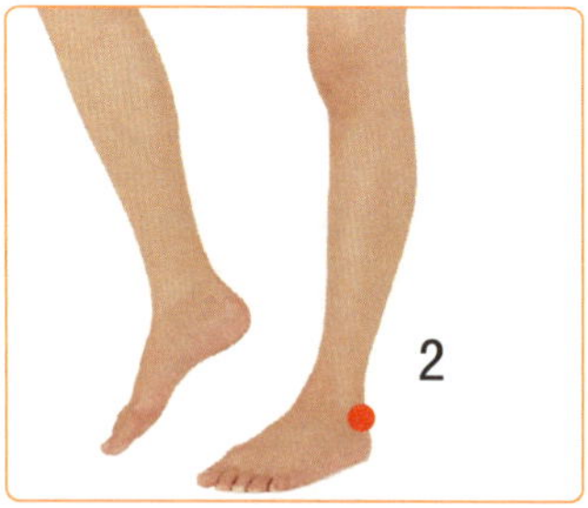

2. 昆仑穴：位在脚踝外侧踝骨后与阿基里斯腱之间，按压这里可消除足部疲劳疼痛，改善足关节炎，还可以治疗头痛、眼睛酸痛与腰痛！

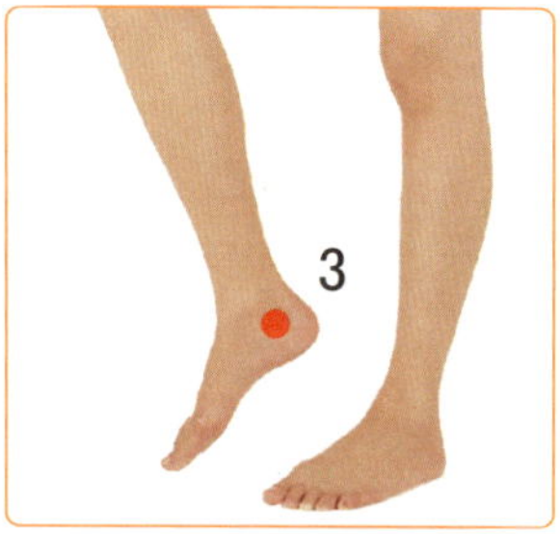

3. 太溪穴：位于足踝内侧踝骨后与阿基里思腱之间，与昆仑相对，和昆仑一起按摩，可消除足部肿胀。

23 轮式 Ring motion

<1>.仰卧，曲膝，用双手将脚拉至臀侧，手指尖朝肩膀的方向置于双耳侧。

<2>.抬腰，支撑肩与双脚。双手施力支撑起身体，头顶着地顶住。手慢慢靠近脚的方向。

<3>.双手及双脚撑高，使头与身体向上抬。肘与膝盖要伸直，腰部上抬成拱门状。保持此姿势约呼吸五次，缓慢调整呼吸后，由头部、臀部之顺序，依序放回地板上，再做“无空姿势”后休息。

<4>.完成<3>的动作后，使手脚保持平衡，一面吐气，一面将单脚抬高与地板垂直。保持此姿势，约呼吸五次后，换脚做相同的动作。之后再回到原来的姿势，并采行“无空姿势”休息。

曲影温馨提示

双膝不可分离，两臂紧靠身体。手臂和脚不可弯曲。

美人功效

活络全身气血，美化身体曲线，有美白及改善皮肤粗糙现象的功用，增强体力和免疫力，可矫正驼背，预防老化，是一个非常优秀的体位法。

24 吉祥式 Auspicious

<1>.坐正，深呼吸。

01

<2>.两脚弯曲，
脚掌心相触。

02

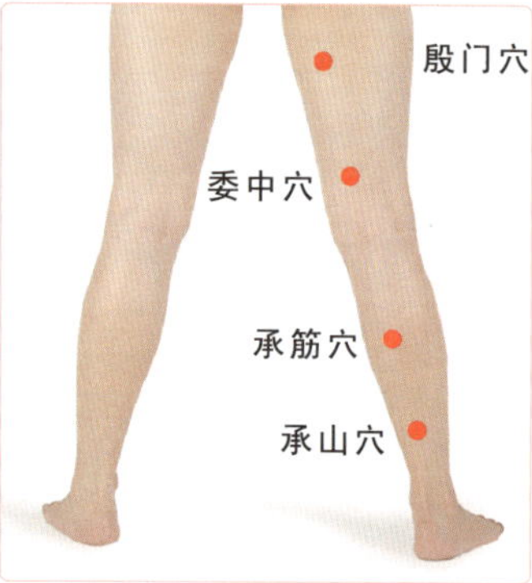

03

<3>.吸气，身体慢慢向前弯下，使身体与下颚都尽量贴地，停留数秒，做深呼吸。

<4>.将背部挺直，双脚略向前伸直，手沿大腿后侧直线而下的殷门穴、委中穴、承筋穴、与承山穴，按压。按压时间可以根据情况自己把握，只要感觉双腿疲劳消除即可停止。

曲影温馨提示

练习时意念想象着自己在喝着燕窝汤，气血渐渐健康、活络了起来！去感受大腿内侧的刺激点，会越来越美喔！

美人功效

此动作可刺激大腿内侧及骨盘、鼠蹊处之穴位，对生理机能的调理效果颇佳，因此要好好感受动作完成时的大腿内侧与下半身的刺激感觉。

第三节
经络瑜伽塑身体操
改善身体曲线，塑造玲珑体态

经络瑜伽塑身体操，吸取了古老瑜伽中极精髓的东西--体位法、呼吸法、冥想法；融进了东方传统医学经络学，也糅合了一些时尚健身的新内涵。它对传统瑜伽有了更新的诠释，更加适合于二十一世纪对美、对健康有着强烈追求的现代人。

经络瑜伽塑身体操简单易学，随时随地都可进行。就体位法而言，传统瑜伽可能更注重肢体的自然舒展，而经络瑜伽塑身体操则不光要求肢体得到伸展、身心合一，它还要求动作做得更富有力度，在练习的过程中，让肌肉都能得到充分拉伸，从而增强身体的柔韧性、提高身体的平衡感、燃烧人体过多脂肪。同时，它独特的动作组合，在锻炼过程中，通过身体各部位间的接触或是身体与地面间的接触来刺激、按摩穴位，从而促进血液循环、调整新陈代谢、排出人体内的废积物、消除久积的毒素，将形体雕塑得更加完美，姿态更加优雅。

经络瑜伽塑身体操，可针对不同体形、不同部位来进行强化锻炼，如刺激肺　大肠经，能改善下半身肥胖；刺激心　小肠经，能收缩腹部；刺激胃　脾经能美化上半身曲线。再结合瑜伽呼吸法的锻炼，能使人的身体素质增强，免疫力增强；结合冥想法的锻炼，能让人身心得到减压、放松，消除精神的抑郁、紧张，使人保持一种年轻、平和而安宁的心态。

亭亭玉立下半身曲线，可调整肺·大肠经之体操

肺·大肠经是掌管身体的气息交换、呼吸、排泄作用和水分代谢的经络。如果此经络滞郁，脂肪就容易积留在身体屈陷处，形成直桶的体形。

①两腿张开与肩同宽，力量放在两脚的小趾侧站好。两手绕到背后，左右手拇指互勾，食指等分向左右用力张开。

②上身向前弯曲，两手感觉向后突出。颈部放松，吸气，停顿3~5秒钟。

③吐气，力量放松。两膝盖弯曲，手向下垂落。眼睛依顺序注视肚脐、心口窝、胸部，手臂根部，感觉脊骨像一根一根站起一般，把身体抬起。交换一下拇指互勾的方式，再做一遍。

B 平坦滑溜小腹，调整心·小肠经之体操

心·小肠经是主掌转换、统制作用及在外界刺激时调整心理的适应作用之经络，当食物的营养有变时亦会影响其功能。此经络滞郁的人，容易变成矮胖、萝卜腿等没有凸凹曲线的体形。

①左右两脚脚掌相抵坐下，两手由脚腕内侧握住，以坐骨为中心，重心移动到左右两边，找到好的平衡位置后，稳定地坐好。

01

③腰向后，依序放松心口，胸部及颈部的力量，上身往前弯，吸气，暂停，呼气后放松。重复两次。

03

②小指侧的手腕部拉紧，左右的中指相碰，两手放在脚上。这时注意，手肘的力量要放松。

02

04

④盘腿坐下，较易抬起的那只脚在上，两手放在身后，使腰部稳定。

05

⑤两手交叉抱住对侧脚的膝盖。以坐骨为中心，移动重心。调整位置，使坐骨安定，此时腰部会有后拉的感觉。

06

⑥两手稍入内侧，依序放松腰、心口、胸、颈部，吸气停止，然后吐气放松。放松后回复原来的姿势。如此重复两次。再换腿盘坐，同样进行两次。

C 玲珑有致上半身曲线，调整胃・脾经之体操

胃・脾经是主管吸收食物的营养机能和发酵作用的经络。如果此处滞郁住，分泌胃液、胆汁等消化液的器官与食欲均呈异常。脂肪容易堆积在胸、腹部及下半身。

①脚腕前部贴在地板上，跪坐在地上。两手后撑地板，调整臀部的位置使坐骨安定。

01

02

②两手向后滑，上身往后倒，呈仰卧方式。如果此时感觉非常痛苦就停止。

③两手互握，手掌向上，吸气，伸展身体前面的肌肉3~5秒钟，闭气，吐气后，放松，然后再做深呼吸，即成。

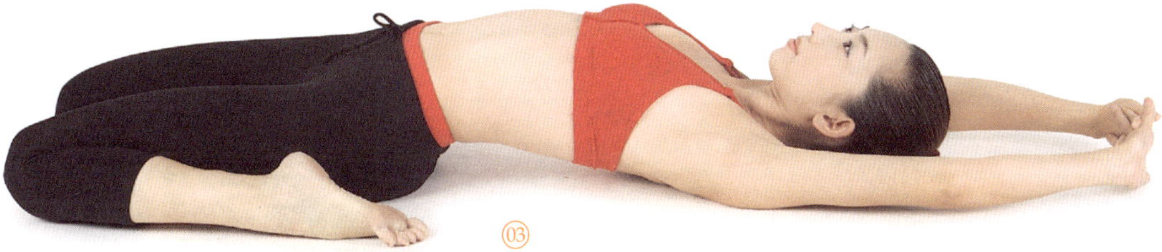

03

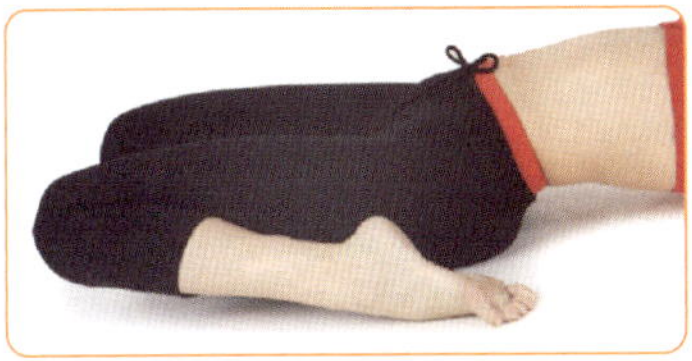

重点：上身卧地板时，脚部如无法全部与地板紧贴，可仅以脚腕贴紧地板，膝盖抬高亦可。

D 婀娜多姿杨柳腰，调整肾·膀胱经之体操

肾·膀胱经络是元气、气魄之本。除了主掌精气清净作用及调整全身机能，性荷尔蒙分泌及抵抗压力外，亦可调节体液的分泌。如果此处郁结，水分会停滞在皮肤下，造成皮肤粗糙。

①两脚与肩同宽坐下，脚掌立起，小腿肌与膝下肌肉充分伸直，姿势坐正，两手伸直向前。

01

②两手手背朝向内侧前屈，下巴往前突出，此外，腹部好似要落在大腿上，慢慢前倾。

02

③颈子放松，吸气，停止3－5秒钟。吐气后放松，回复原来的姿势。重复两次。

03

流线形外侧曲线，透过脚底，使“气”流通。

①一只脚向前打开，重心放在后脚，前脚伸直，同侧的手臂伸直举高。背肌伸直。

01

②后脚膝盖弯曲，前脚脚跟着地，脚尖抬起。腰部往后拉。

02

③往上举高的手臂从后绕下来，一边好似要碰触脚侧一般，触摸到脚尖，再回到原来的位置。反侧动作亦相同。

④起身，两脚张开与肩同宽，两手臂往上伸直，两手在头上互握，掌心向上，背肌挺直。
⑤将身体重心放在左脚上，往左倾斜，做全身的伸展，停留一会，反侧动作亦相同。

F 提臀翘臀俏佳人，调整肝·胆经之体操

主掌身体的贮藏、分配功能者为肝·胆经。它具有储备营养，确保身体活动的能量。维持、培养活力及消化性荷尔蒙功能，保持全身的均衡状态之功能。此部份郁结停滞，会造成瘦身困难。

①两脚尽量张开，两手如图放在身体前方，坐下，此时，膝盖与脚腕不要向前倾，张开股关节为主要重点。

01

②腰抬高，感觉肚脐部有拉紧的感觉。两手往上伸，手掌朝上互握于头上。保持这种姿势，上半身往左右两边倾斜。

02

③沿耳朵方向，向脚前屈，如骨盘几乎整个倒下一般，但坐骨不要离地。吸息，停止，吐气后放松，反侧亦同样做一次。

03

第三章

曲影生活馆

Quying is living shop

完成经络美人瑜伽部分的动作之后，我们会辅以穴位按摩来作运动后的放松和保健，同时也让前面的动作达到事半功倍的效果。人体的各处经络都跟各个器官有关系，东方医学讲究气血通畅，不通的地方就是各个穴位的阻塞，所以我们用各种方法来刺激穴位，让不通的穴位变通，从而促进血液、淋巴循环，使身体新陈代谢的速度加快，防止脂肪囤积，同时帮助排除体内多余的水分和废物，让臃肿的身体变得轻盈；当一个人承受压力时，身体循环会有异常的变化，也会累积许多毒素，藉由穴位按摩可使皮脂分泌顺畅，加速代谢，毒素也会跟着排出，在拥有了干净的身体后，不仅皮肤状态改善了，还能使人感到神清气爽，压力顿减。

下面，我将告诉你们一些最基本，也是最重要的穴位按摩要领，包括初学者必看的取穴方法、立即见效的美肤瘦身特效穴位按摩、快速解除各种身体不适的特效穴位按摩。你可以根据自身的状态，对身体不同的部位、不同的问题，有针对性地进行按摩。这套经穴按摩法，你也可作为日常的保健妙方，随时随地都可进行，非常实用哦！

你可能会觉得穴位太难认了，要是一不小心认错了可怎么办？没关系，我已经为您准备好了几个常用的认穴取穴办法，让你轻轻松松就变成一个认穴高手。每天10分钟，让你的美丽和健康立即加分！

第一节
轻轻松松成为取穴高手
The ordinary ways of taking acupuncture point

穴位又称腧穴，是按摩的主要施术部位。取准穴位是取得预期效果的重要环节。怎样才能取准穴位呢？下面介绍四种常用取穴方法。

1 自然标志法

这是取穴最常用、最方便、最精确的方法，是利用人体体表解剖学标志来确定穴位位置的方法，可分为以下两种。

固定标志

是由人体各部骨节、肌肉形成的突起或凹陷、毛发、五官、指（趾）甲、乳头、脐窝等相对固定的标志，如在两眉之间取印堂穴、肚脐正中取神关穴、鼻子尖端取素胶穴等。

活动标志

指人体各部的关节、肌肉、肌腱、皮肤随人体活动而出现的空隙、凹陷、皱纹等，如曲池穴于屈肘时肘横纹桡侧端，后溪穴位于握拳时掌横纹尺侧端，曲泉穴于屈膝时 窝横纹内侧端等。

2 骨度分寸法

这是中国古人从长期医疗实践中总结出来的非常科学的取穴方法。就是以人体体表骨节标志测量全身各部的长度和宽度，并依此尺寸按比例折算作为标准的方法。常用的骨度分寸如下：

头部直寸

从前发际正中到后发际正中为12寸，从眉间印堂到前发际正中为3寸，后大椎(第7颈椎棘突下)到后发际正中为3寸。

颈部横寸

两额角发际(头维)之间为9寸，耳后两乳突(完骨)之间为9寸。

胸部横寸

两乳头之间宽8寸

胸部直寸

主要靠计数肋间隙确定。

腹部直寸

胸剑联合中点(歧骨)到脐中为8寸，脐中至耻骨联合上缘(曲骨)为5寸。

胁部直寸

腋窝的顶点到第11肋游端(章门)为12寸。

背腰部横寸

肩胛骨内缘至后正中线为3寸。

背腰部直寸

主要靠计数脊椎棘突确定。

上肢部直寸

腋前纹头至肘横纹为9寸，肘横纹至横纹为12寸。

下肢部直寸

耻骨联合上缘到股骨内上课上缘为18寸，胫骨内侧髁下方至内踝尖为13寸，股骨大转子至腘横纹为19寸，臀横纹至腘横纹为14寸，腘横纹至外踝尖为16寸。

3 指寸定位法

指寸定位法又称同身寸法，是根据本人手指比量确定尺寸的取穴方法。

中指同身寸

当中指与拇指屈曲相对时，其中指中节桡侧两端纹头之间的距离作为1寸，可用于四肢直寸和腰背横寸。

拇指同身寸

患者拇指指关节的宽度作为1寸，用于四肢部直寸。

横指同身寸

又叫做“一夫法”。四指并拢，以其中指近端指关节横纹处为准，四指的宽作作为3寸，多用于下肢、下腹部的直寸和脊部的横寸。

4 简便取穴法

简便取穴法是某些穴位简便易行的取穴方法，如直立垂手时中指末湍处为风市穴；一手拇指指关节横纹放在另一手虎口处的指蹼缘上，拇指尖下为合谷穴等。

以上方法可在取穴结合使用，互相参照 ，以取准穴位获得良好效果。

第二节

经络按摩美容纤体术

The ordinary ways of taking acupuncture point

脸部美容保健

脸部按摩是脸部美容的一种行之有效的方法。透过按摩脸部的肌脸和穴位，可以改善脸部的血液循环，促进脸部组织的新陈代谢，消除神经肌肉的紧张状态，从而使脸部红润、光泽而富有弹性，长期持续还可以起到减少皱纹、延缓衰老的作用。

脸部有许多经络、穴位分布，手三阳经止于头面部，足三阳经起于头面部，手足三阴经、奇经八脉也于头面部相连通。经络是运行气血的通道，将五脏六腑的精气输送于头面部，因此面部和脏腑经络之间有着非常密切的关系。透过脸部按摩，既可行气活血，又可调整脏腑经络的生理功能，使脸部红润、光泽，达到脸部的健美、自然美。

按摩前应先清洁皮肤，涂抹一定的按摩（润肤）膏，按摩后配合面膜效果更佳。操作手法应轻柔和缓，顺着脸部肌肉的走向进行按摩，即按摩时手指的动作与皮肤的皱纹垂直，自下而上，由内向外螺旋式进行。

按压承浆

用中指指端着力，按压承浆穴五至十次。可以消除脸部皱纹。

推抹下颏

用双手中指、无名指指腹着力，自下颏的承浆穴开始螺旋状推抹至两侧耳垂十至二十次。可以消除脸部皱纹。

按压大迎

用中指、无名指指腹着力，沿口唇做环形推抹十至二十次。

按压颊车

用双手中指指端着力，按压大迎穴五至十次。

轻拍面颊

用双手并拢四指指面轻轻拍打两侧面颊部皮肤二十至三十次。可以消除脸部皱纹。

按压地仓

用双手中指指端着力，按压地仓穴五至十次。可以消除脸部皱纹。

运抹口唇

用双手中指指端着力，按压颊车穴五至十次。可以消除脸部皱纹。

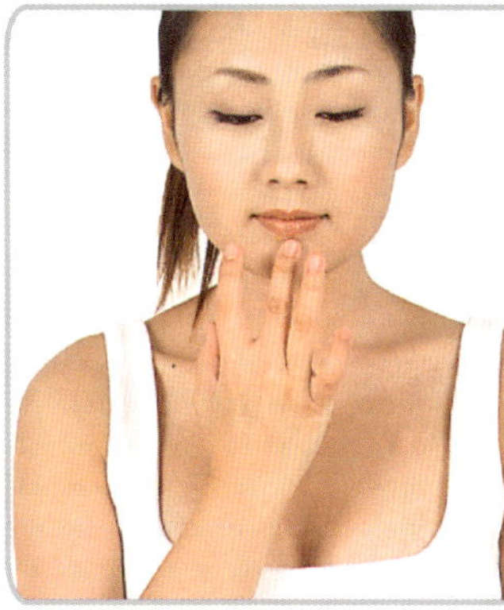

按压承浆

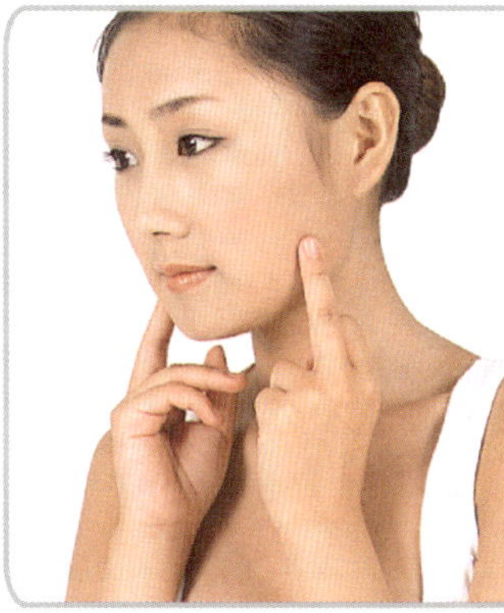

按压颊车

按压地仓

推抹面颊

用双手中指、无名指指面着力，由内向外螺旋状推抹两侧面颊至耳前十至二十次。可以消除脸部皱纹。

按压承泣

用双手中指指端着力，按压承泣穴五至十次。

按压四白

用双手中指指端着力,按压四白穴五至十次。

按压巨髎

用双手中指指端着力,按压巨髎穴五至十次。

按压颧骨

用双手中指指端着力，按压颧穴五至十次。

推擦鼻旁

用双中指指面置于鼻翼两侧，上下反复推擦二十至三十次。

按压迎香

用双手中指指端着力,按压迎香穴五至十次。

推抹面颊

按压巨髎

推擦鼻旁

推抹眼眶

用双手屈曲的食指绕侧面着力，由内向外交替推抹上、下眼眶十至二十次。

按压睛明

用双手中指指端着力，按压睛明穴五至十次。

按压攒竹

用双手中指指端着力，按压攒竹穴五至十次。

按压丝竹空

用双手中指指端着力，按压丝竹空穴五至十次。

按压瞳子

用双手中指指端着力，按压瞳子穴五至十次。

按压太阳穴

用双手中指指端着力，按压太阳穴五至十次。

轻拍前额

用双手食指、中指、无名指指面轻轻拍打额部皮肤二十至三十次。

推抹前额

用双手中指、无名指指面着力，自下而上推抹前额十至二十次。

按压印堂

用中指指端着力，按压印堂穴五至十次。

按压上星

用中指指端着力，按压上星穴五至十次。

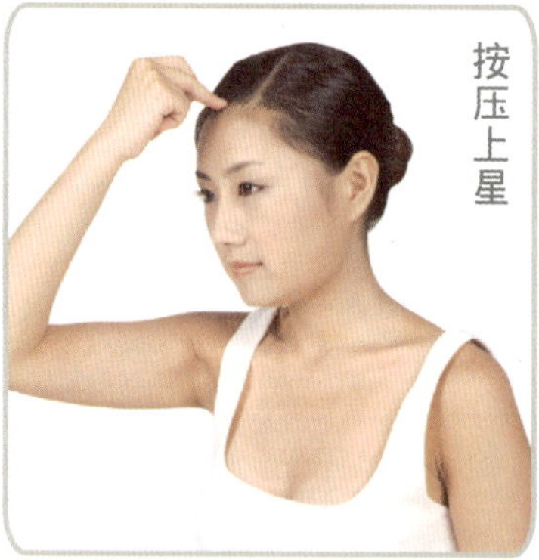

按压阳白

用双手中指指端着力，按压阳白穴五至十次。

按揉合谷

用一手拇指指端着力，按揉另一手的合谷穴各1分钟左右。

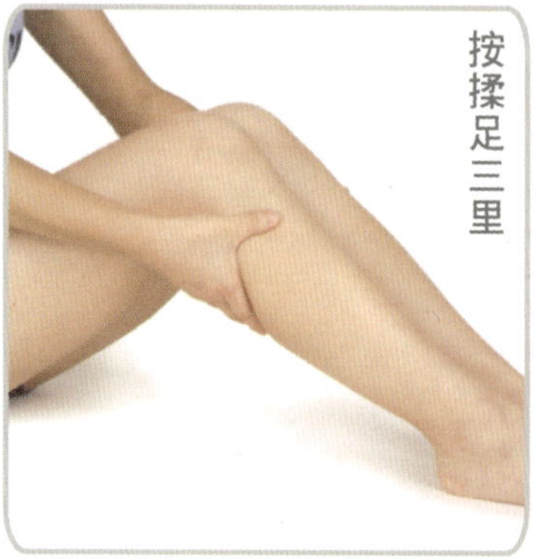

按揉足三里

用双手拇指指端着力，按揉足三里穴1分钟左右。

颈部美容保健

颈部的美观经常被许多爱美的女性所忽视，特别是平时不注意运动或长期伏案工作的女性，随着年龄的增长，颈部的皮肤、肌肉很容易松弛、衰老，出现许多皱纹，脂肪也较容易堆积，以致影响颈部的美观，甚至引起颈、肩疼痛等病症。透过对颈部的美容保健按摩，可以使其转动灵活、有力，颈部皮肤光滑、有弹性，同时发挥解除疲劳、改善脑部供血，有醒脑明目的作用。按摩前可在颈前部涂抹适量的按摩（润肤）膏。

轻拍颈前 头略后仰，四指并拢，用指面柔和地拍打对侧颈部前面的皮肤，各二十至三十次。

推抹颈前 头略后仰，四指并拢，用指面从颌下正中推抹至胸骨上窝，二十至三十次。

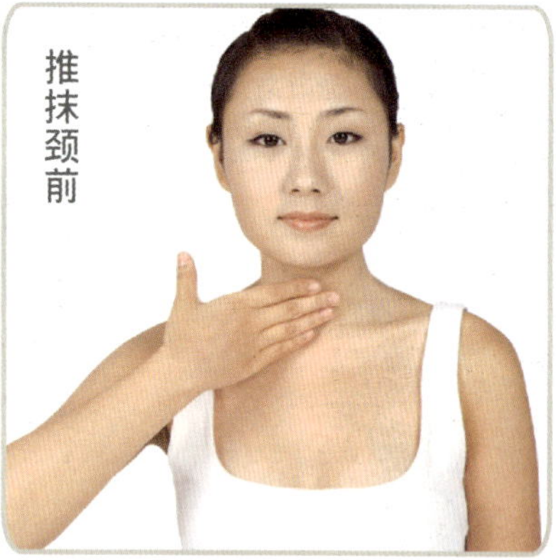
推抹颈前

推抹颈侧 头略后仰，双手四指并拢，用指面从颌下两侧斜向前下方推抹至喉部，重复十至二十次。

按揉人迎 头略后仰，双后中指指端着力，轻揉人迎穴二十至三十次。

推抹颈侧

推抹颈后 头部略低，双手四指并拢，用指面从左右两侧枕骨处推抹至大椎穴，重复二十至三十次。

拿捏颈后 头部略低，用并拢的四指面与拇指面相对用力，拿捏颈后部1分钟左右。

按揉翳风 双手中指指端着力，按揉翳风穴1分钟左右。

按揉风池 双手中指指端着力，按揉风池穴1分钟左右。

按揉天柱 双手中指端着力，按揉天柱穴1分钟左右。

按揉大椎 中指指端着力，按揉大椎穴1分钟左右。

轻转颈部 颈部向前、后、左、右各转动三至五次，动作应轻、缓，切忌用力过猛。

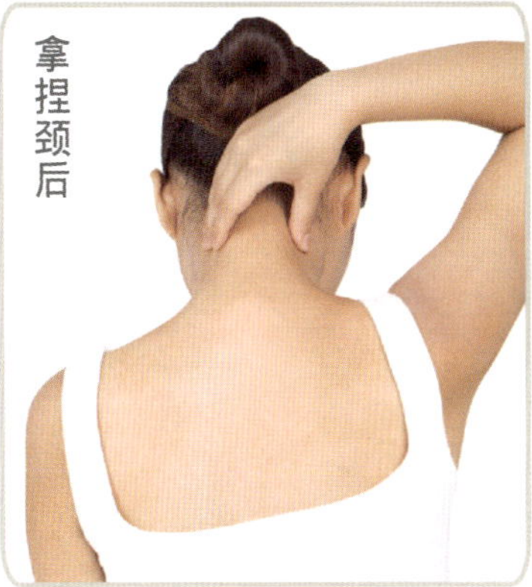
拿捏颈后

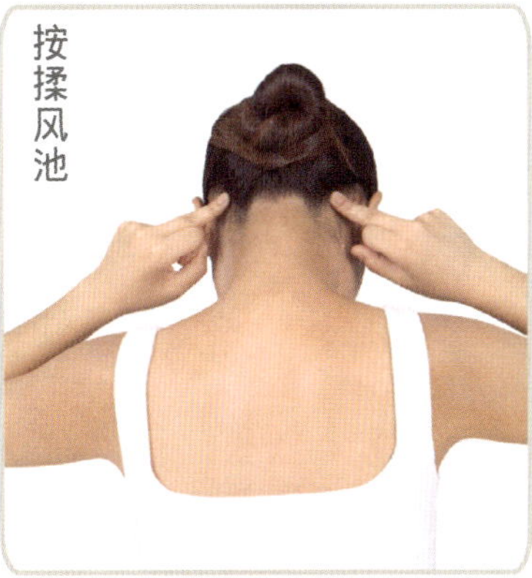
按揉风池

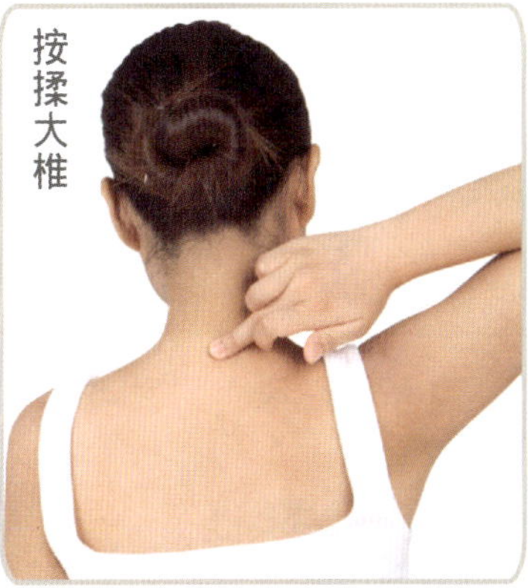
按揉大椎

胸部美容保健

胸部健美是女性形体美、曲线美的重要条件，而丰满、坚挺、富有弹性的乳房是胸部健美的突出标志。

胸部健美按摩操作简单方便，无副作用，不同年龄段的女性均可进行自我按摩。根据中医脏腑经络学说，乳头属足厥阴肝经，乳房位于足阳明胃经之分野，透过刺激这些经络的某些穴位或直接按摩乳房，均可疏通经络气血，使乳房得到充分的气血荣润。现代医学认为，胸部健美保健按摩可刺激雌激素分泌，促进乳腺发育，另外还可使胸部肌肉发达并减少乳房周围的脂肪堆积。因此，胸部健美保健按摩是丰乳、健胸的有效方法之一。

按揉膻中

用中指指端着力，按揉膻中穴二十至三十次。

按揉乳根

用双手中指指端着力，按揉乳根穴二十至三十次。

腹部健美保健

腹部与五脏六腑的关系非常密切，除了心肺两脏不在其内，其它脏腑均包含其中，另外，腹部是许多重要经脉循环和会聚之所。脾胃是腹部的重要脏器，中国医学认为，脾胃为后天之本，气血生化之源，按摩腹部对脾胃具有调整作用，可促进人体的消化、吸收、排泄功能。因此，按摩腹部可以强身健体，不仅对肥胖者的腹部凸隆有减肥之功，对身材瘦削、体弱多病者亦有健美、保健之效。

摩腹　仰卧位，用掌面着力，以肚脐为中心顺时针方向按摩全腹三至五分钟。

按揉建里　仰卧位，用中指指端着力，按揉建里穴1分钟左右。

按揉中脘　仰卧位，用中指指端着力，按揉中脘穴1分钟左右。

按揉神阙　仰卧位，用食指、中指、无名指指面着力，按揉神阙穴1分钟。

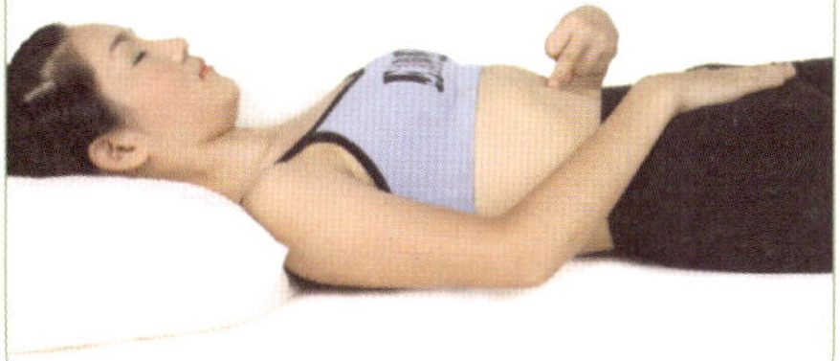
按揉建里

按揉神阙

按揉气海

仰卧位，用中指指端着力，按揉气海穴1分钟左右。

按揉关元

仰卧位，用中指指端着力，按揉关元穴1分钟左右。

按揉天枢

仰卧位，用双手中指指端着力，按揉天枢穴1分钟左右。

按揉足三里

用双手拇指指端着力，按揉足三里穴1分钟左右。

按揉阴陵泉

用双手拇指指端着力，按揉阴陵泉穴1分钟左右。

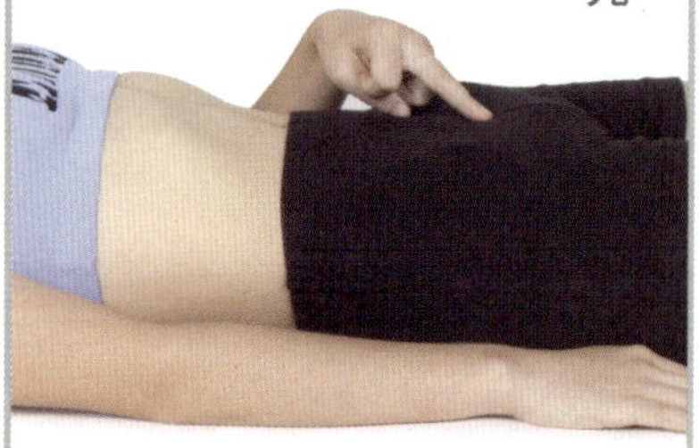
按揉关元

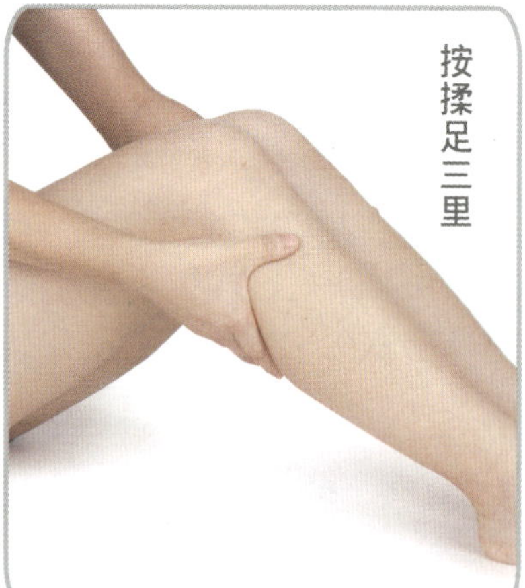
按揉足三里

背腰臀部保健

背腰臀部是人体肌肉较为丰厚的部位，对人体保持直立姿势起着重要作用，同时也是保持曲线美不可忽视的一部分。中国医学认为，腹为阴，背为阳，背腰臀部有两条重要的经脉循行，即督脉和足太阳膀胱经。督脉行于背部正中，是督领全身阳气的主要经脉，上络于脑，下络于肾，与脑、肾皆有密切关系。足太阳膀胱经在背腰部行于督脉两旁，有背俞穴分布其上，体内脏腑透过足太阳膀胱经背部的俞穴受督脉经气的支配。因此，脏腑的功能活动均与督脉有关，由此可看出背腰部在人体保健中的重要作用。

对背腰臀部进行按摩时受术者俯卧位。

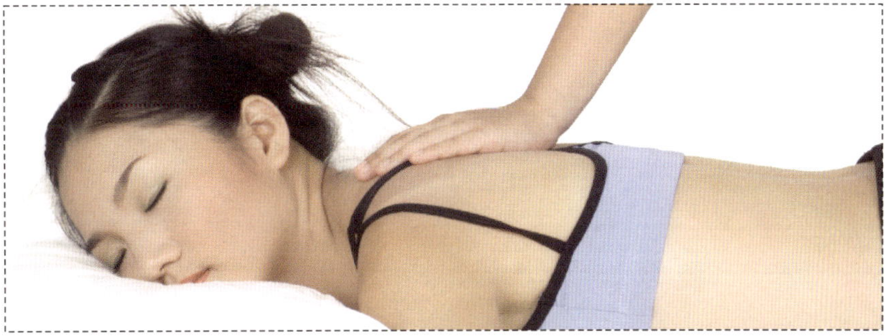

按揉脊中 术者用掌根着力，自上而下按揉脊柱正中三至五遍。

按揉脊旁	术者用掌根着力，自上而下按揉脊柱两旁三至五遍。
拿捏腰部	术者用双手拇指指面与并拢的四指指面相对用力，自上而下拿捏腰部两侧各十至二十次。
捏脊	术者用双手拇指指端顶住皮肤，食、中两指指面前按，三指同时用力提拿脊柱两侧的皮肤，自下而上，双手交替捻动向前推进，重复三至五次。
按揉大推	术者用拇指指端着力，按揉大推穴十至二十次。
按揉肺俞	术者用双手拇指指端着力，按揉肺俞穴十至二十次。
按揉心俞	术者用双手拇指指端着力，按揉心俞穴十至二十次。
按揉肝俞	术者用双手拇指指端着力，按揉肝俞穴十至二十次。

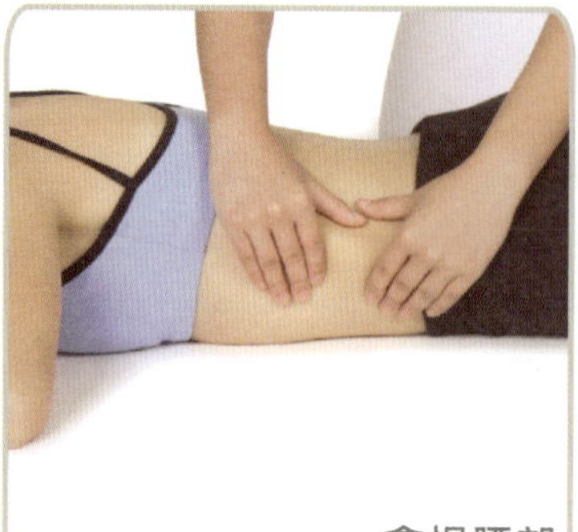
拿捏腰部

按揉大推

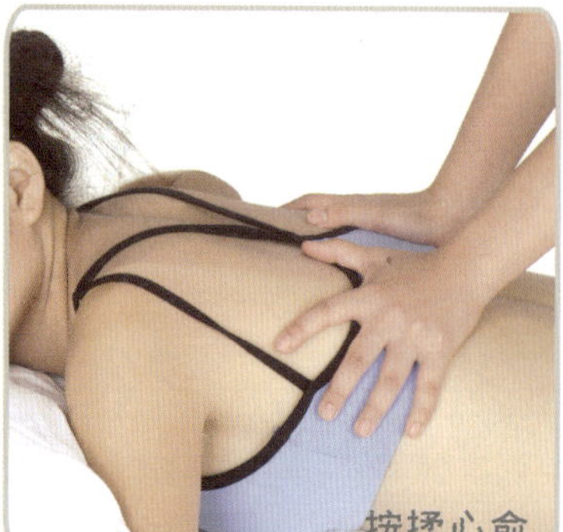
按揉心俞

按揉脾俞

术者用双手拇指指端着力，按揉脾俞穴十至二十次。

按揉肾俞

术者用双手拇指指端着力，按揉肾俞穴十至二十次。

按揉命门

术者用拇指指端着力，按揉命门穴十至二十次。

按揉腰阳关

术者用拇指指端着力，按揉腰阳关穴十至二十次。

按揉大肠俞

术者用双手拇指指端着力，按揉大肠俞穴十至二十次。

按揉腰眼

术者用双手拇指指端着力，按揉腰眼穴十至二十次。

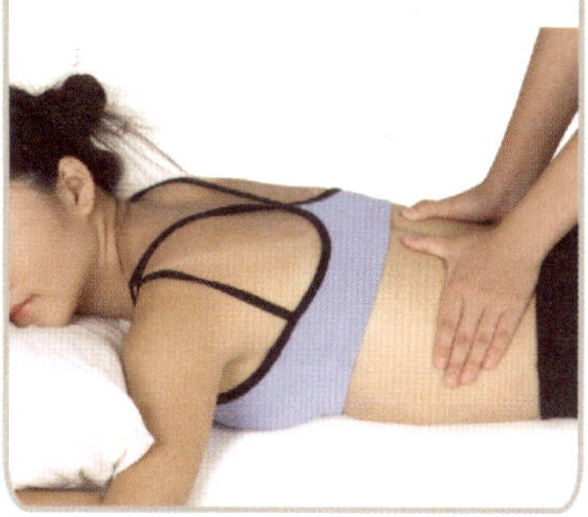
按揉脾俞

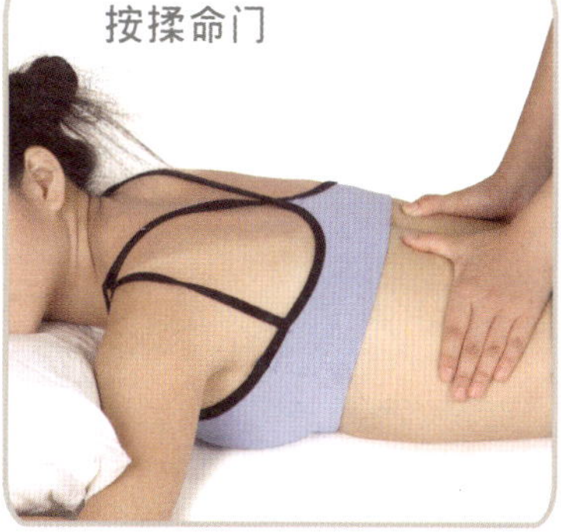
按揉命门

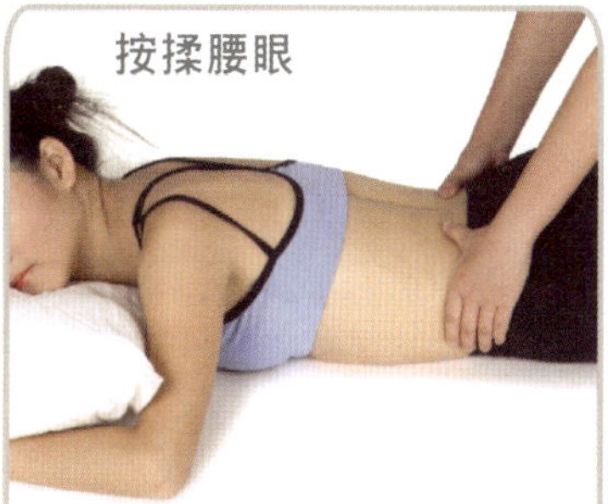
按揉腰眼

按揉秩边	术者用双手拇指指端着力，按揉秩边穴十至二十次。
按揉臀部	术者用掌根着力，自下而上按揉两侧臀部各十至二十遍。
拿捏臀部	术者用双手拇指面与并拢的四指指面相对用力，自下而上拿捏两侧臀部各十至二十遍。
按揉环跳	受术者侧卧位，术者用双手拇指指端或一侧肘尖着力，按揉两侧环跳穴各十至二十次。
推擦脊中	术者用掌根着力，自上而下推擦脊柱正中三至五遍。
推擦脊旁	术者用掌根着力，自上而下推擦脊柱两旁各三至五遍。
拍背腰臀部	术者双手五指并拢，用虚掌自上而下拍打背腰臀部三至五遍。

按揉臀部

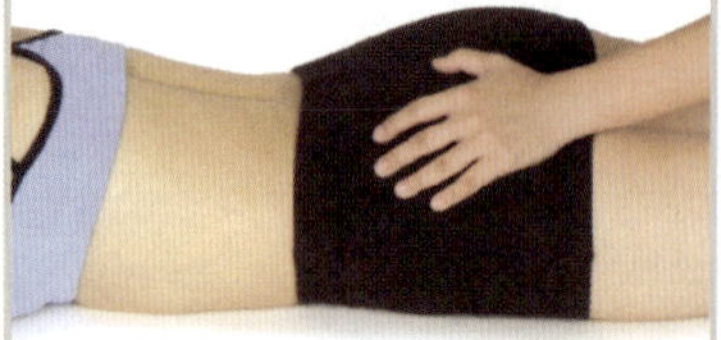

按揉环跳

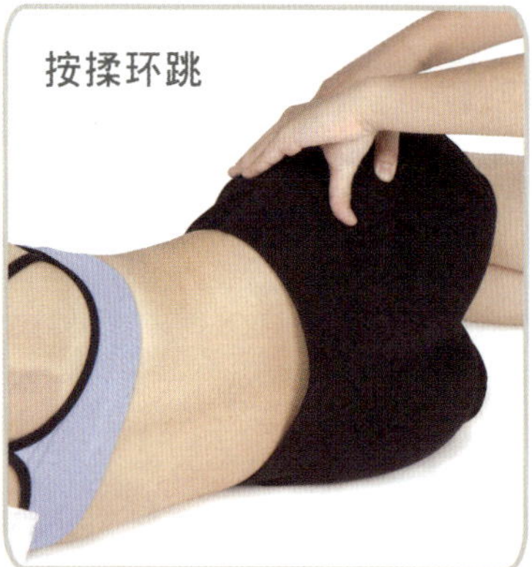

推擦脊旁

E 肩臂部保健

圆润的肩部和修长的臂部同样是身体健美不可缺少的组成部分。中医认为，脾主肌肉、四肢，手三阴经循行于肩臂部的内侧，手三阳经循行于肩臂部的外侧，按摩不仅可以舒经活络，调节脏腑功能，还可使肩臂部保持健美。

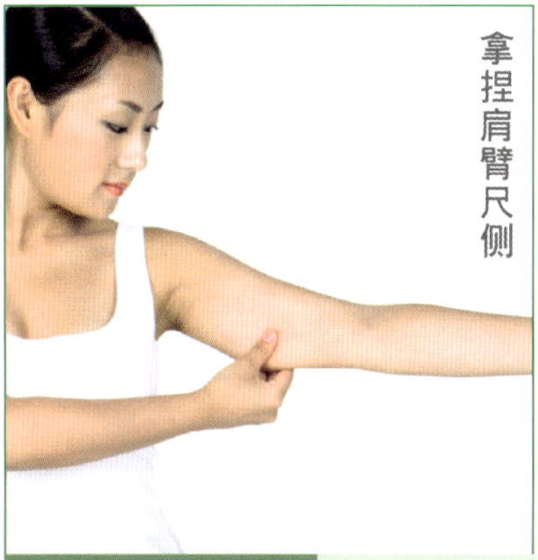

拿捏肩臂尺侧

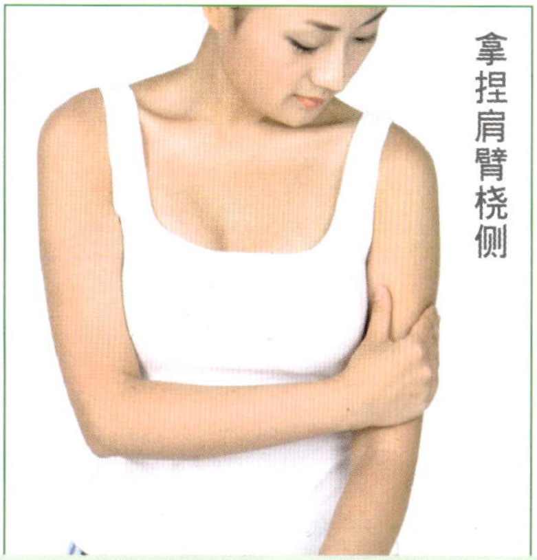

拿捏肩臂桡侧

拿捏肩臂

用拇指指面与并拢的四指指面相对用力，自上而下拿捏肩臂部尺侧、桡侧各十至二十遍。

按揉肩髃

用中指指端着力，按揉肩髃穴1分钟左右。

按揉曲池

用拇指指端着力，按揉曲池穴1分钟左右。

推擦肩臂

用大鱼际或并拢的四指指面着力，自上而下推擦肩臂部内侧、外侧各十至二十遍。

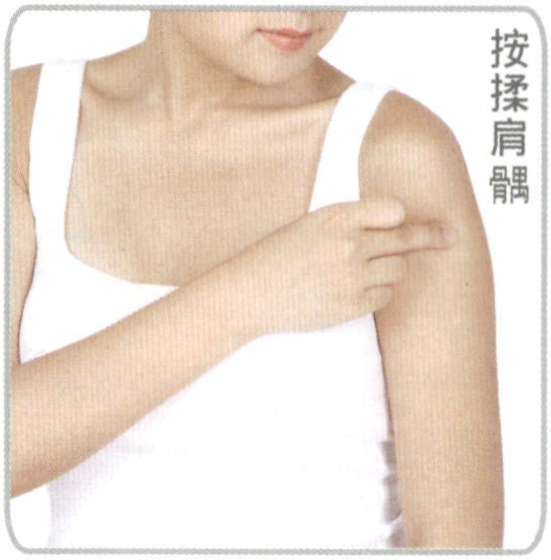

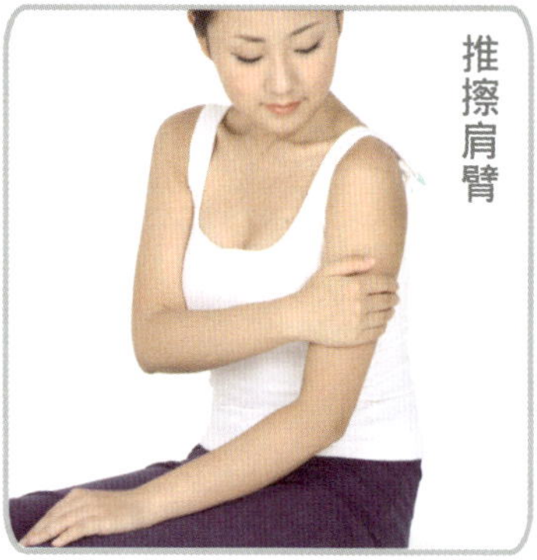

按揉外关

用拇指指端着力，按揉外关穴1分钟左右。

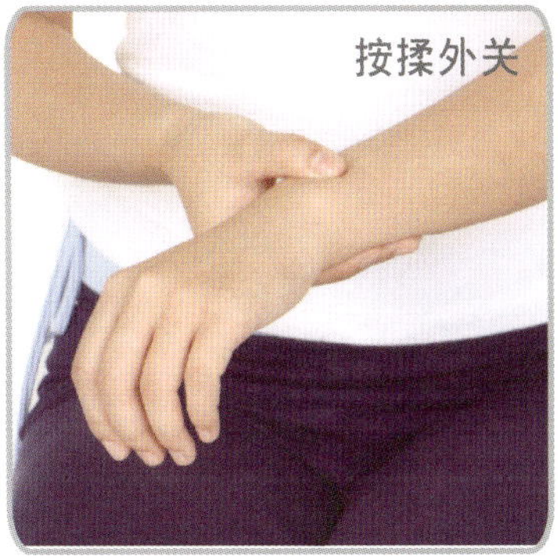

按揉内关

用拇指指端着力，按揉内关穴1分钟左右。

按揉合谷

用拇指指端着力，按揉合谷穴1分钟左右。

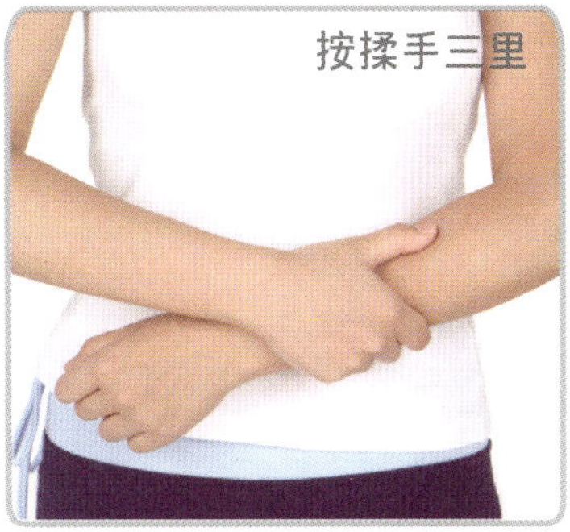

按揉手三里

用拇指指端着力，按揉手三里穴1分钟左右。

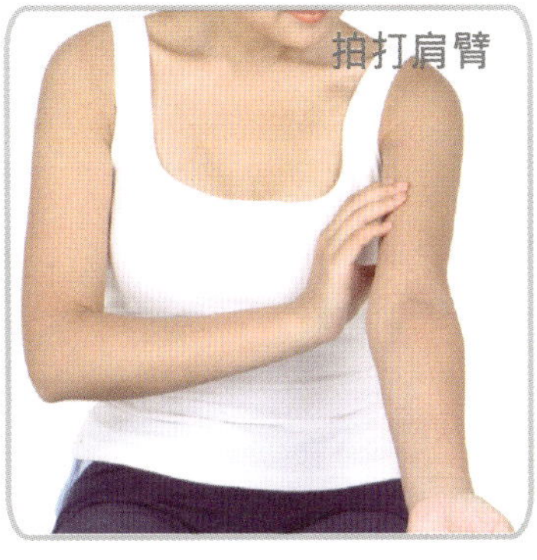

拍打肩臂

五指并拢，用虚掌自上而下拍打肩臂部内、外侧各二十至三十遍。

腿部健美保健

修长、丰满、坚实而富有弹性的双腿，是美好形体的重要组成部分，过于纤细或粗壮都不能给人美的视觉享受。透过对腿部的健美保健按摩，不但可以强健肌肉，增加皮肤弹性，还可以促进血液循环，消除过多的脂肪，使腿部匀称、美观。

按揉双腿前面

用双手掌根着力，自上而下按揉双腿前面五至十遍。

拿捏双腿前面

用双手拇指指面与并拢的四指指面相对用力，自上而下拿捏双腿前面五至十遍。

按揉髀关

用双手拇指指端着力，按揉髀关穴十至二十次。

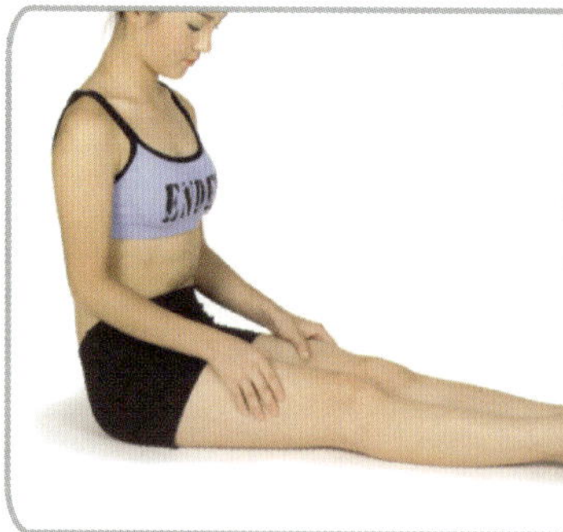

拿捏双腿前面

按揉伏兔

用双手拇指指端着力，按揉伏兔穴十至二十次。

按揉足三里

用双手拇指指端着力，按揉足三里穴十至二十次。

推擦双腿前面

用双手掌根着力，自上而下推擦双腿前面五至十遍。

拍打双腿前面

双后五指并拢，用虚掌自上而下拍打双腿前面五至十遍。

按揉双腿外侧

用双手掌根着力，自上而下按揉双腿外侧面五至十遍。

拿捏双腿外侧

用双手拇指指面与并拢的四指指面相对用力，自上而下拿捏双腿外侧面五至十遍。

按揉风市

用双手中指指端着力，按揉风市穴十至二十次。

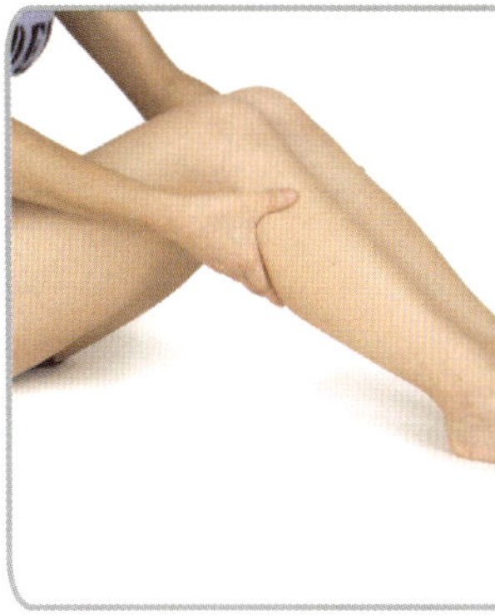
按揉伏兔

拍打双腿前面

按揉风市

按揉阳陵泉

用双手拇指指端着力，按揉阳陵泉穴十至二十次。

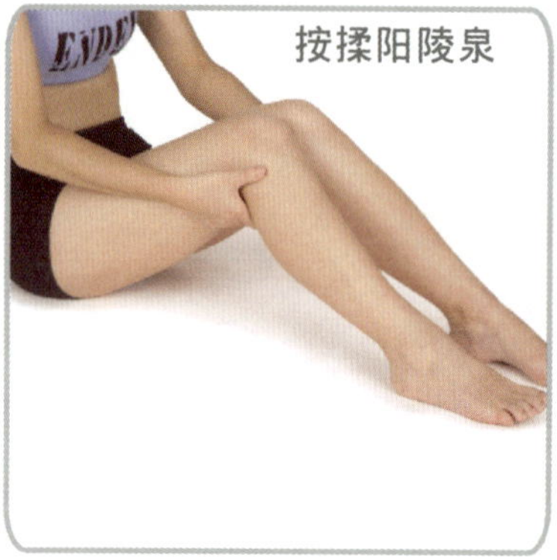

按揉阳陵泉

按揉悬钟

用双手中指指端着力，按揉悬钟穴十至二十次。

按揉三阴交

用双手拇指指端着力，按揉三阴交穴十至二十次。

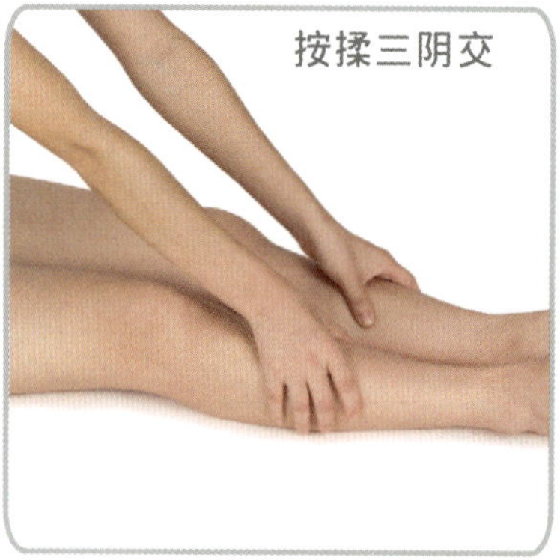

按揉三阴交

推擦腿部内侧

用一手掌根着力，自上而下推擦对侧腿部内侧面各五至十遍。

拍打腿部内侧

双手五指并拢，用虚掌自上而下拍打腿部内侧五至十遍。

按揉腿部后面

术者用掌根着力，自上而下按揉腿部后面五至十遍。

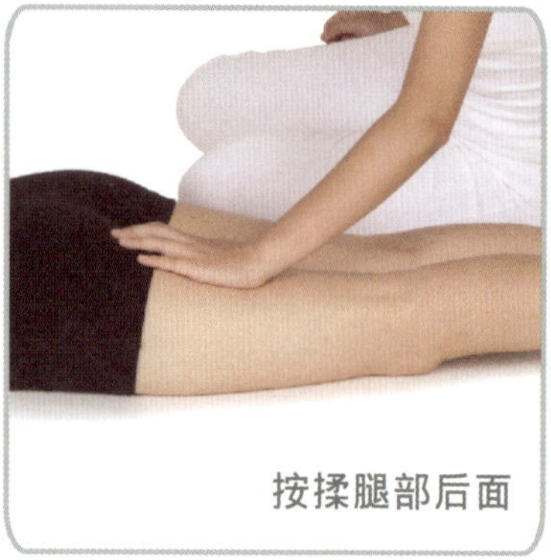

按揉腿部后面

拿捏腿部后面

术者用双手拇指指面与并拢的四指指面相对用力，自上而下拿捏腿部后面五至十遍。

按揉承扶

术者用双手拇指指端着力，按揉承扶穴十至二十次。

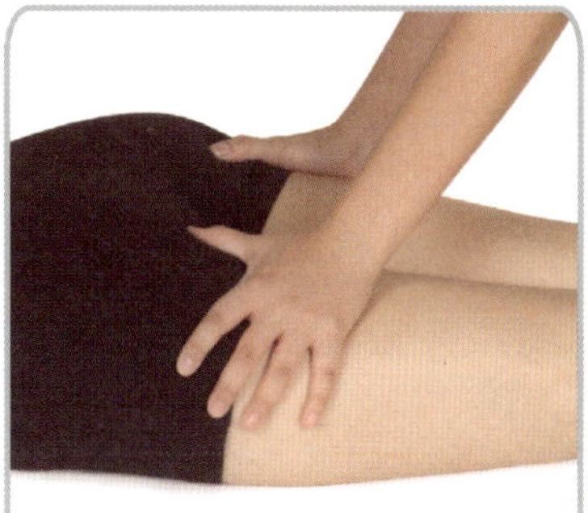
按揉承扶

按揉殷门

术者用双手拇指指端着力，按揉殷门穴十至二十次。

按揉委中

术者用双手拇指指端着力，按揉委中穴十至二十次。

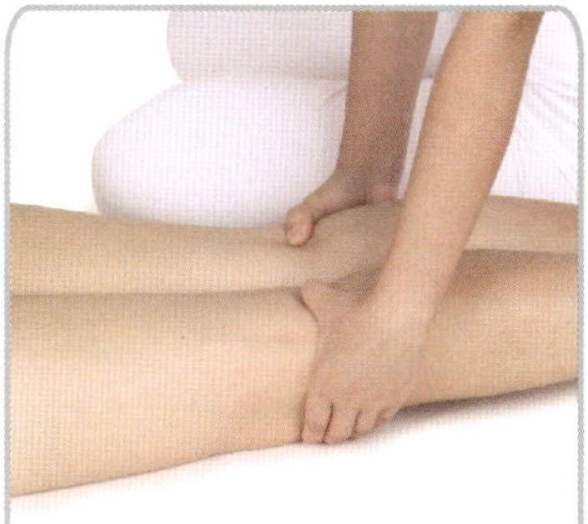
按揉委中

按揉承山

术者用双手拇指指端着力，按揉承山穴十至二十次。

推擦腿部后面

术者用掌根着力，自上而下推擦腿部后面五至十遍。

拍打腿部后面

术者双手五指并拢，用虚掌自上而下拍打腿部后面五至十遍。

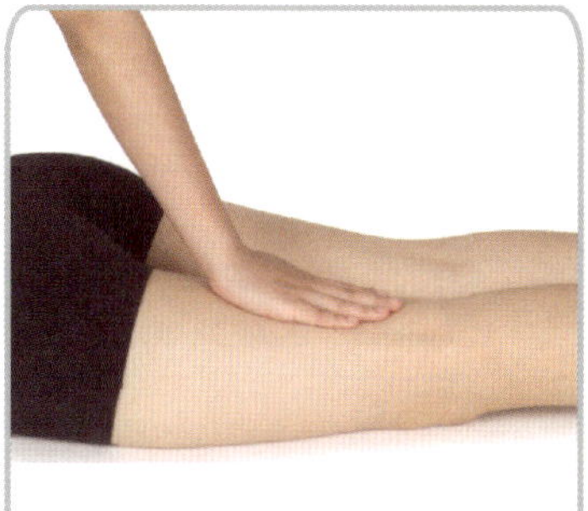
拍打腿部后面

第四章 QUYING'S ANSWER

曲影美丽信箱

1. 每个人都想变美，而到底怎样才算美人呢？发质好、身材棒还是脸蛋俏？

答 “美”应是整体的感觉，不能只注重某一部分，你要的是全面性的美容，而非顾此失彼的残缺信息与失衡的锻炼。其实大部分的女性朋友并非真的达到医学上的肥胖，而是部分身材比例不佳。美，首重均衡。美女身材的性感黄金比例是“身体质量指数比例BMI”。身体质量指数比例（BMI）的计算公式是：“体重（公斤）除以“身高（米）的平方”。研究发现，当女性的BMI等于20时，最容易让男性觉得性感、被吸引。若是瘦得前胸贴后背，反而不如想象中有魅力。

2. 经络美人瑜伽是怎样起到美容塑身作用的？

答 经络瑜伽将瑜伽动作与中华传统经络学、按摩医术与现代美容理论相融合。经络美人瑜伽所设计的瑜伽动作和姿势，通过对相对应经络穴位的刺激，以改善淋巴和血液循环、促进皮肤和各个器官的新陈代谢、增强你的免疫力、调整人体内部机能，进而达到塑造人体完美曲线的功能。只有内部机能全部达到最佳状态，你才能展现最完美的风貌。在做完瑜伽动作后，如果再对相关重点穴位辅以按摩，那会更加达到事半功倍的效果。

3．练习经络美人瑜伽的要诀是什么？

答 经络美人瑜伽一点都不难练，大家可不要被“经络”这个词给吓到哦。只要您认准了针对每个动作的正确穴位就可以了，并不要求您把全身所有的穴道全部记住。而且我们在本书中也介绍了一些方便实用的认穴方法，让你能正确地找到相应的穴位，记得，运动后要再进行穴位按摩哦。

4．如果我练习经络美人瑜伽，大概需要多长时间可以见效？

答 这套瑜伽动作是通过刺激穴位进行内分泌的调整和塑造身材曲线，所以见效比较快。大概2～3个月就能有比较明显的效果了。当然，不管什么运动都要持之以恒下去才行，如果半途而废，那么你前面所做的努力就会全部白费了。

5．平时，我的工作非常忙，睡得不好，胃口也不太好，皮肤变得没有光泽，还长黑斑。听说练习经络美人瑜伽能改善肤质，我最近每天都抽出时间来练习。但是，却没有出现想象中的效果，不知道是什么原因？

答 练习了经络美人瑜伽却不起作用，其中的原因可能是多方面的。有可能是您的生活习惯不好、生活没有规律引起的。要知道不管如何有效的健身术养生法都是和良好的生活习惯密不可分的。所以要想成为漂亮美眉就一定要养成好的生活习惯，尽量不要熬夜，要按时进餐。如果您觉得练习瑜伽后，不光没起到美容的作用反而人会出现头晕、不舒服等症状，那可能是您的营养没跟上，睡眠质量不好引起的。当然，方法也是很重要的，比如穴道认得不准或者按摩时间太过长等，都会影响练习的效果。

图书在版编目(CIP)数据

美人经络瑜伽／曲影编著．—成都：成都时代出版社，2008.10（2012.5重印）

ISBN 978-7-80705-815-1

Ⅰ．美… Ⅱ．曲… Ⅲ．瑜伽术 Ⅳ．R214

中国版本图书馆CIP数据核字(2008)第094235号

美人经络瑜伽

MEIREN JINGLUO YUJIA

曲影 编著

出品人	秦 明
责任编辑	李亚林
责任校对	李 航
装帧设计	中映·良品 （0755）26740502
责任印制	莫晓涛

出版发行	成都传媒集团·成都时代出版社
电　　话	(028) 86619530 (编辑部)
	(028) 86615250 (发行部)
网　　址	www.chengdusd.com
印　　刷	深圳市华信图文印务有限公司
规　　格	889mm×1194mm 1/24
印　　张	5
字　　数	120千
版　　次	2008年10月第1版
印　　次	2012年5月第8次印刷
印　　数	1-15000
书　　号	ISBN 978-7-80705-815-1
定　　价	26.00元